Eu sou uma série de 11 capítulos

LUIZ FERNANDO GUIMARÃES

Eu sou uma série de 11 capítulos

A AUTOBIOGRAFIA

GLOBOLIVROS

Copyright da presente edição © 2022 by Editora Globo S.A.
Copyright © 2022 by Luiz Fernando Guimarães

Todos os direitos reservados.
Nenhuma parte desta edição pode ser utilizada ou reproduzida — em qualquer meio ou forma, seja mecânico ou eletrônico, fotocópia, gravação etc. — nem apropriada ou estocada em sistema de banco de dados sem a expressa autorização da editora.

Texto fixado conforme as regras do Novo Acordo Ortográfico da Língua Portuguesa (Decreto Legislativo nº 54, de 1995).

Editor responsável: Guilherme Samora
Editora assistente: Gabriele Fernandes
Pesquisa e entrevistas: Leonardo Rivera
Preparação: Adriana Moreira Pedro
Revisão: Francine Oliveira e Nestor Turano Jr.
Foto de capa: Bob Wolfenson
Design de capa: Cris Viana — Estúdio Chaleira
Projeto gráfico e diagramação: Douglas Kenji Watanabe
Tratamento de imagens: Momédio Nascimento

CIP-BRASIL. CATALOGAÇÃO NA PUBLICAÇÃO
SINDICATO NACIONAL DOS EDITORES DE LIVROS, RJ

G979s

    Guimarães, Luiz Fernando,
       Eu sou uma série de 11 capítulos: a autobiografia / Luiz Fernando Guimarães. — 1ª ed. — São Paulo: Globo Livros, 2022.

      ISBN 978-65-55670-53-0

      1. Guimarães, Luiz Fernando. 2. Atores — Biografia — Brasil. 3. Humoristas brasileiros — Biografia — Brasil. 4. Autobiografia. I. Título.

22-80175
                        CDD: 927.92028092
                        CDU: 929:7.071.2(81)

Gabriela Faray Ferreira Lopes — Bibliotecária — CRB-7/6643

1ª edição, 2022

Editora Globo S.A.
Rua Marquês de Pombal, 25
Rio de Janeiro, RJ — 20230-240
www.globolivros.com.br

Dedicado aos meus pais,
Yara Klaes Guimarães e Hélio Guimarães.

SUMÁRIO

Prefácio por Fernanda Torres 9
Nota do autor 13

1. No princípio era o eu 15
2. Asdrúbal trouxe o teatro 29
3. Baixo Gávea-Leblon, amigos e outras viagens 43
4. Dramaturgia e seus afluentes: o humor 61
5. Dramaturgia e seus afluentes: me rendendo à TV 77
6. Eu comigo mesmo: parte 1 99
7. Dramaturgia e seus afluentes: cinema e comercial 105
8. Eu comigo mesmo: parte 2 115
9. Polêmicas, festas e afins 121
10. Armário? Que armário? & etc... 163
11. Meu paraíso 185

Epílogo – O futuro me absolve 193
Posfácio por Regina Casé 195
Agradecimentos 197

PREFÁCIO

Como diria Hamilton Vaz Pereira, parafraseando os gregos: "Luiz Fernando Guimarães, Derbis para os íntimos, é o maior, o melhor, o mais alto, o mais belo, o mais bonito".

Eu tinha doze anos quando o vi pela primeira vez, no palco do Teatro Dulcina, no Rio de Janeiro, em *Trate-me Leão*, do grupo de teatro Asdrúbal Trouxe o Trombone, peça que revirou do avesso a cabeça da minha geração.

Depois, num curso do Asdrúbal no Parque Lage, celeiro da Blitz e do pessoal do Circo Voador, lembro do nervosismo que me acometeu quando, durante um exercício de improviso, Luiz apareceu para se juntar aos alunos, com aquele charme desajeitado e a dimensão homérica dos seus quase dois metros de altura.

Eu jamais pensei que teria a honra de ser sua amiga, e muito menos sua parceira de cena. Catorze anos se passariam até o Luiz me chamar para dançar. Devo à Débora Bloch, ao Diogo Vilela, ao Miguel Magno e ao Pedro Cardoso, além, claro, do próprio Luiz, o convite para fazer parte da peça 5× *Comédia*.

Nela, nós dois fazíamos dois quadros dirigidos pelo Hamilton. Luiz encarnava um atleta olímpico, esmerilhando em todas as modalidades, e eu, uma versão carioca da difícil escolha de Páris, na disputa entre três deusas do Olimpo. Enquanto esperava minha vez de ensaiar, desfrutava do privilégio de ver os mestres, ator e diretor, desenharem seu esquete do nada, numa profícua criação coletiva. Era como ter acesso a um ritual secreto, "maçônico tropicálico", entre dois ídolos da minha juventude.

Mas a verdade é que foi mesmo uma "dor de cotovelo" que nos uniu. Amigo do peito, ele percebeu meu coração partido e me convidou para passearmos pela África do Sul. Luiz não só me curou da desilusão amorosa, como me lembrou de como a vida é boa. Durante nossas aventuras, como o rafting que fizemos nas corredeiras de Victoria Falls, a canoagem com hipopótamos, o passeio de balão, os safáris, o banho no mar gélido do Cabo da Boa Esperança e até a fuga do elefante enraivecido, de vez em quando, eu pedia licença para dar uma choradinha, mas logo voltava para os braços do meu "pajé do Baixo Leblon". O Luiz me salvou. E se não bastasse o noivado turístico, acabamos casados também na ficção. E foi amor mesmo, amor fraternal, por um dos parceiros mais generosos, em cena e fora dela, que tive o privilégio de conhecer.

Durante os três anos da série *Os Normais* e depois, nos dois filmes que fizemos como Rui e Vani, apenas uma preocupação me norteava: não decepcionar ou atrapalhar o Luiz.

Acho que ele tem sangue alemão, acredito que sim, porque o calor dos trópicos o faz suar em bicas. Eu aguentei de sutiã e calcinha o ar-condicionado do estúdio no mínimo, cheguei a cair de hipotermia, mas sem nunca, jamais, reclamar. Vê-lo bem, feliz, era uma obrigação para mim, uma forma de retribuir o carinho dele. O Luiz me resgatou, me transformou numa atriz popular e mudou meu destino.

Com ele, com sua verve que tanto me lembra a de Walter Matthau, aprendi que não há nada pior do que um ator esforçado. "Tenho muita pena de ator que dá 100%", disse-me ele; máxima que levo até hoje para as cenas comigo.

O Luiz é o máximo, o Luiz é o cara. A garça, a graça do meu amigo, meu irmão, meu guia e salvador eterno.

Eu amo, idolatro e venero o Luiz.

Fernanda Torres

NOTA DO AUTOR

Não leio de forma cronológica, desde pequeno sou assim. Com a ansiedade, sempre já quero saber o final. Achava que, lendo de trás para frente, poderia perder o interesse da história, mas acabou acontecendo o contrário. Gosto da história pela história.

Escrevo exatamente como falo. Às vezes, coloco reticências justamente porque aquela ideia não era para ser finalizada. A vírgula mostra que tudo ali é importante para mim. Parto para outro assunto, do nada, e sei que você, leitor, vai me acompanhar. Inclusive, acho que o público me reconhece desse jeito!

Quis fazer este livro, com essa narrativa, porque, quando conto alguma coisa para alguém, vou abrindo como os afluentes do rio Amazonas. Vou contando uma história, que vai emendando em outra, e isso gera mais e mais histórias. É como se abrisse parênteses enormes. Até que é bom, pois o texto permanece em movimento.

Quando resolvi escrever este livro, realmente enxerguei que reviveria muita coisa, como numa terapia. E não varri nada pra debaixo do tapete, como se não tivesse acontecido. Nunca tive arrependimentos. Posso até achar que fiz uma cagada, mas me arrepender dela, jamais.

Ah, antes que me esqueça: convidei alguns amigos queridos para dar depoimentos no decorrer do livro.

1.
NO PRINCÍPIO ERA O EU

Nasci em 1949, logo, fui criança nos anos 1950. Minha família era de bancários. Yara, minha mãe, foi funcionária da Caixa Econômica Federal. Anos depois, cheguei a me tornar o garoto-propaganda do banco. Nós morávamos no Rio de Janeiro, em um prédio situado na praça São Salvador, com quatro blocos e dezessete andares. Imagina só o tanto de pessoas que habitava por lá? Fomos os primeiros moradores, no apartamento 101, vindos do bairro Rio Comprido. Sempre fui tímido, apesar de ser muito irônico e de aprontar bastante. Pensando bem, não é à toa que caminhei para esta profissão.

Nunca fui o cara de "escorregar na banana", sabe? Como faz o palhaço. Sempre fui sarcástico. Meus familiares diziam que eu parecia meio sonso, mas tinha umas tiradas muito boas. Isso já era a coisa de ator. Invariavelmente, eles diziam que eu tinha alguma coisa de artista.

Além de bancária, minha mãe foi poeta, recitava os poemas e depois falava com a mesma voz, no mesmo tom e na mesma entonação. Ela meio que explicava o poema. Tímida, mas sensacional. Uma figura! Puxei isso dela, deve ser hereditário. Já Hélio, meu pai, foi aquele cara que contava uma piada e esquecia o resto no meio.

Na minha casa tinha uma funcionária, a Santa, que ajudou a criar a mim e meus irmãos. Ela tomava conta da gente enquanto minha mãe e meu pai trabalhavam. Eu dava aulas para ela, a ensinava a ler...

Éramos em três irmãos. Curti muito com meu irmão caçula, Luiz Felipe, que hoje é cardiologista e mora no Rio de Janeiro. Ele é apenas um ano mais novo que eu e, por isso, tivemos uma infância muito próxima. Fomos muito grudados. Meu outro irmão, quatro anos mais velho, o Luiz Carlos, já faleceu. Era aventureiro, politizado e motorista da turma que sequestrou o embaixador americano Charles Burke Elbrick, em 1969, aqui no Brasil, durante a ditadura.

Aliás, foi com o Luiz Carlos que vivi uma história muito forte: fui chamado para tirar uma carteira de identidade para ele poder sair do país. A turma do meu irmão foi em casa, entrei no banco de trás do carro, com a cabeça abaixada o tempo todo; não podia ver ninguém. Foi quando cheguei e entrei numa sala. Eu pensava que todo aquele pessoal era a nossa turma lá da rua, a garotada, então não desconfiei de nada que estava acontecendo. Não entendia que existia um propósito político muito forte por detrás daquilo. Fui maquiado para que parecesse mais velho. Forjaram uma barba e tirei a identidade. Ele, que já havia sido preso e torturado, jamais poderia sair do país com os próprios documentos.

Minha família era alienada politicamente. Então, um dia, meu irmão me chamou e mostrou panfletos de sua luta. Lembro dos folhetins do MR-8 (Movimento Revolucionário Oito de Outubro) que ele escondia na parede, atrás de um armário do banheiro. Ele me contou que, preso, já havia sido torturado de diversas maneiras. Lembro bem de uma delas, que me marcou demais: depois de torturas físicas e psicológicas, eles ainda o deixavam dentro de uma gaveta, fechado, para que pensasse que iria morrer ali mesmo.

Ao mostrar os folhetos, ele me disse:

— Se um dia algo acontecer comigo, você pega tudo isso e dá um fim.

Eu fiquei pensando: mas por que ele contou isso só para mim e não para Luiz Felipe?

Até que, um dia, ligaram em casa o procurando. Por mais que não houvesse nada naquela voz que denotasse algo ruim, eu achei aquilo estranho. Tenho uma intuição forte, existe algo nesse sentido que me move. Minha vida é guiada pela intuição. E foi o que fez que eu desparafusasse o armário, pegasse e queimasse os papéis e jogasse na privada. Dito e feito, os militares invadiram a minha casa atrás dele, logo depois. Mas os papéis já haviam sido queimados, foram embora pela descarga. E não acharam nada.

Com a carteira de identidade que eu tirei por ele, meu irmão conseguiu fugir para o Chile, pela Argentina. Ele estava no Chile quando Salvador Allende sofreu o golpe. As

Eu sou uma série de 11 capítulos: a autobiografia   17

coisas ficaram complicadas por lá também e ele acabou tendo que fugir do Chile para a Suécia.

Só depois de algum tempo fui me dar conta de que havia me tornado cúmplice em uma luta importantíssima. Preso e solto várias vezes em sua missão de lutar contra a ditadura imposta no Brasil; meu irmão é um herói. Por causa do meu RG, usado pelo meu irmão, fiquei durante muito tempo sem poder sair do país.

Voltando à minha infância, quando era bem pequeno, meus pais me levaram para ver o musical *My Fair Lady*, estrelado por Bibi Ferreira e Paulo Autran. Um primo do meu pai, Fernando Azevedo, foi coreógrafo da Bibi e se apresentou no espetáculo também. Quando vi o Fernando "dando pinta", fiquei horrorizado. Depois disso, meus pais não me levaram a nenhuma outra peça, passaram a deixar a gente com a tia Zilá e iam sozinhos ao teatro.

Lembro que, nessa época, foram assistir à peça *Como vencer na vida sem fazer força*, que trazia no elenco o pai da Bibi, Procópio Ferreira, ao lado de Marília Pêra e Moacyr Franco. Anos depois, Charles Möeller e Claudio Botelho me convidaram para atuar nessa peça; fiz o papel que foi do Procópio.

Mais tarde, quando eu já era conhecido, Bibi me convidou para fazer *Gata em teto de zinco quente*. Sempre quis ser dirigido por ela, mas não aconteceu... Fui à casa da Bibi e li a peça, então ela disse que eu tinha uma voz extraordinária. Depois, avisou que não ia dirigir a peça. Bibi não falava ao telefone, em hipótese alguma, mas eu, que sou teimoso, liguei. Falei:

— Bibi, se você não for dirigir, não adianta. Quero que você dirija.

Ela respondeu:

— Luiz, não te falei que não gosto de falar ao telefone? Desisti porque Bibi colocou um assistente para dirigir e iria apenas supervisionar. Mas, mesmo assim, foi lindo o contato que tive com ela.

Fui desenhista antes de ser bancário. Cheguei até a ter uma encomenda. Tinha que desenhar um coelho do tamanho de uma pessoa para o Colégio Bennett, na rua Senador Vergueiro, no Rio. Com isso ainda recebi meu primeiro golpe, já que fiz, entreguei e nunca recebi dinheiro pelo trabalho. Fiz o coelho com cartolina, guache e todo meu amor. Já comecei assim.

Minha família achava que, porque gostava muito de desenhar, eu poderia ser arquiteto. Cheguei a fazer cursos alternativos e técnicos no Museu de Arte Moderna (MAM-RJ). Só que eu queria desenvolver meu lado intuitivo; não era nada técnico. Tanto que fiz uns trabalhos com nanquim, mas ficaram muito ruins.

No meu prédio tinha muita gente de no máximo quinze anos, quase não tinha idosos. Então, fui um moleque lá da praça São Salvador, que saía pelo prédio com a minha turma, pegando o elevador de serviço, fugindo lá para o

17º andar para fumar o primeiro cigarro Luiz xv. Quebrávamos uns vasos enormes no caminho. Não sei como a gente conseguia fazer uma arruaça tão grande assim; éramos um terror. Era tímido, mas era um terror. Era tímido, mas era muito sociável. Eu e Hamilton Vaz Pereira morávamos no mesmo prédio, só que, diferente de mim, ele sempre foi estudioso. Como já estava no Tablado, não vivia muito nossas bagunças. Era mais próximo do irmão dele. Às vezes o pessoal do edifício convidava atores e atrizes, meio vedetes, da tv Rio e virava um acontecimento, algo sensacional. Fazíamos piquenique no parque Guinle, que eu achava longe, mas, mesmo assim, nós íamos muito lá.

Na área social do prédio também tinha festas de quinze anos, que eu nunca podia ir por conta da idade, mas morria de vontade. Nesse quesito, Luiz Carlos, o meu irmão mais velho, era, digamos, um "facilitador". Eu, como filho do meio, acabava conseguindo ir com ele em algumas festas. Era como sair do piquenique com os colegas do edifício e ver que existe uma vida diferente lá fora.

No Carnaval, subíamos em um ônibus (401, São Salvador-Rio Comprido) e, na nossa turma, tinha um cara que tocava trompete, o Valadão. Tocava mal, desafinava, mas era a única pessoa que tínhamos nesse papel de músico. Fazíamos o trajeto todo, umas quatro horas dentro daquele transporte público, ao som do trompete, e esse era o nosso Carnaval. Íamos com autorização dos nossos pais, de maneira confortável. Enquanto se divertia, nossa turma passeava e via a cidade. Inclusive, ainda hoje acho que essa é uma boa ideia! No final do dia, como o prédio era muito grande, ainda ficávamos no imenso hall, com o mesmo trompetista, tocando malíssimo. Mas o importante é que ele era um amor de pessoa. Já o repertório era composto pelas marchinhas, claro. Todos os dias de Carnaval eram assim. Me divertia tanto, era uma das coisas mais divertidas da minha vida. Eu adorava.

Tenho uns primos por parte de mãe que moravam pra lá de Benfica, em Quintino. Gostava muito deles, eram filhos da tia Ivone, que era meio perturbada e escandalosa. Quando ia na minha casa, minha mãe morria de vergonha.

Gostava tanto deles que, aos nove anos, eu costumava pegar o ônibus sozinho para a Central do Brasil e lá subia em um trem. Esses primos moravam no morro, numa comunidade. Ficava feliz da vida quando ia para lá. Como não existia celular, não faço ideia de como a família se comunicava. Não consigo me lembrar de como meu pai sabia que eu ia pra lá. Como minha mãe sabia? Meus irmãos? Eu apenas pegava o trem e ia.

Meus avós eram poetas. Artistas voltados para a escrita. Não é para onde fui, mas acabei indiretamente indo para esse lado, de alguma forma, por colaborar em peças, roteiros, na TV e no cinema. Sempre tem alguma coisa que colocamos no texto quando estamos interpretando.

Mas, voltando: com avós poetas, a mãe bancária-poeta e o pai piadista de araque, eu sentia alguma inclinação para a arte, tinha uma intuição que me levava para esse lado. Mas nunca pensei que daria certo como ator.

Então, vivia um dilema: de um lado, louco por ser artista, do outro, a ideia fixa de que não daria certo. Eu era tão louco para ser artista que me lembro de um dia em que meu irmão Luiz Carlos me inscreveu como calouro no programa de rádio do apresentador César de Alencar. Fiquei tão nervoso que no dia perdi a voz. Com a timidez e o medo, acabei não indo.

Adorava ouvir o piano de meu tio por parte de mãe, César Klaes. Tocava muito bem! Mas dava pinta, então minha mãe o "controlava". Mas ele era incontrolável, não tinha jeito! Lá estava ele, sempre "pintoso demais" para a família.

•••

Em casa, minha mãe vestia a gente tudo igual, todos os três. Sempre foi muito festeira, como eu (tenho umas fotos dela em festas, sempre com suas amigas).

Nas reuniões em casa, lembro das imagens de meus primos, todos com cara de alemão. E lembro especificamente de uma foto em que estou com meu avô paterno, muito agarrado nele.

Dizem que pareço mesmo com meu pai. Ele jogava sinuca pra caramba. Gostava mais de bar e das festas de rua do que dessas reuniões de família. Nossa, ele adorava! Domingo era o dia dele. Trabalhava a semana inteira e, quando chegava o fim de semana, ia para a rua. Escrevendo essas linhas, acabei me lembrando de que ele levava a gente junto para vários lugares. Na minha cabeça, às vezes, pensava que ele podia ter sido um tanto ausente, mas, vai ver, é só impressão mesmo.

Aos dezessete anos, decidi que tinha que respeitar minha intuição, mesmo não tendo uma formação dramática, isto é, mesmo não tendo feito escola de teatro alguma. Minha primeira experiência foi com Marta Rosman, do Tablado, que me chamou para fazer um dos Reis Magos em um presépio particular, numa festa na casa dela. Um presépio meio moderno; o meu Rei Mago levava um botijão de gás, outro levava a luz... Eu entrava mudo e saía calado.

Como fui parar no presépio como o Rei Mago do gás? Havia pedido a minha mãe, por vontade própria, para ir à análise de grupo. Na época, eu passei a ter muita dificuldade para me relacionar com as pessoas. Como eu mesmo sabia dessa dificuldade, entendi que análise poderia ser um bom lugar para que eu trabalhasse isso. Conheci a Marta lá. Ela era uma das analisadas. Mamãe me botou lá, mas eu não falava nada. Ficava mudo. Mesmo assim, a Marta disse que me via como ator. Foi quando ela me chamou para fazer parte do tal presépio. E eu fui.

Comecei a achar a análise uma besteira e pensei que poderia ser muito melhor ir trabalhar. Seria um jeito forçado de entrar em contato com as pessoas, de ter que falar alguma coisa.

Pedi ao meu pai um emprego, já que ele foi gerente de uma agência de banco, ali na rua do Rosário, no Centro do Rio. Ele conhecia outro gerente, de uma empresa que estava começando, e me indicou para trabalhar lá. Trabalhávamos só o gerente, eu e mais outro rapaz. *Ipiranga Investimentos Crédito e Financiamento*, algo parecido com uma hipoteca, ou crediário. Você vai comprar um carro e quer financiar em várias vezes, então o cliente assinava uma promissória, em branco, e tinha o crédito.

Nessa época, eu frequentava muito o Aterro do Flamengo. Conheci duas bichas horrorosas, feias, mesmo, funcionárias da cantora Nora Ney. Nora foi casada com Jorge Goulart, compositor de marchinhas de Carnaval. Louquérrimas, elas falavam muito com a Nora pelo orelhão. Pensei: "Quero muito conhecer a Nora Ney". Nem queria de fato, era mais um ímpeto. Meus pais ouviam a música dela, eu só conhecia as dez mais tocadas na rádio.

Cismei de conhecê-la, achava que a vida dela devia ser interessante. Convenci as duas a me levarem na casa da Nora, perto do Morro da Viúva. E não é que me levaram mesmo, pela porta da cozinha? Nora falou: "Quem é que está aí?". Eu pensava: "Nossa, é um homem". Não cheguei a vê-la pessoalmente, só ouvi a voz.

Voltando à história do meu primeiro emprego, como auxiliar de escriturário, preenchia aquelas fichas, aprendia datilografia, e esse era o meu dia a dia. A empresa foi crescendo e contratando mais pessoas. Eu? Eu fui ficando ali, para mim, naquele momento, estava ótimo. Tinha um "trabalho normal" e, paralelamente, fazia alguma apresentação esporádica como ator.

O trabalho foi bom no sentido de que comecei a me desinibir mais e fui me relacionando melhor com as pessoas. Gostava de ir aos sábados, fazer serão. Adorava ser útil, prestativo, resolver os problemas das pessoas, essa é uma coisa minha.

Ok. Lá na seguradora estava legal. Mas chegou um momento em que resolvi sair de lá. Desde aquela participação no presépio da Marta, mantinha uma vida dupla: emprego de dia e algumas apresentações à noite. Nunca tinha, de fato, entrado em cartaz com uma peça.

Mas isso, aos 22 anos, finalmente aconteceu: fui aprovado em um teste do grupo Asdrúbal Trouxe o Trombone. Claro que o Asdrúbal merece uma atenção só para ele e vou contar mais sobre esse importantíssimo grupo de teatro no próximo capítulo. No teste, fiz um professor imitando uma pororoca — que virou uma arara — durante uma aula. Ali estava eu. Finalmente, entre o meu emprego e a pororoca. Pensei: *"Ou vai ou racha".*

Pedi ao gerente para me mandar embora, porque sendo demitido, ganharia o dinheiro da rescisão. Mas ele não me demitiu como eu queria. Uma vez, tempos depois, esse meu ex-gerente foi me ver no Teatro Opinião e falou:

— Porra, Luiz. Que merda que eu fiz, né?

— Pois é, né? — foi minha resposta para ele. Mas passou. Tudo bem, tudo foi para melhor.

Eu sou uma série de 11 capítulos: a autobiografia   25

Veja, se fosse bancário, seria ótima pessoa, tenho certeza de que, em qualquer caminho que escolhesse, teria minha personalidade. Vivi uma vida inteira, antes dos dezessete anos, que poderia ter me guiado para mil lugares e profissões diferentes. Eu não planejei nada. Não tenho a menor dúvida de que fui escolhido pela dramaturgia.

Depoimento de Boni

O Luiz Fernando Guimarães é um astro com luz própria, razão de sua iluminada carreira. Ele é um ator diferenciado e uma pessoa especial. A crítica ostensiva aos personagens que interpretou sempre foi evidente, enriquecendo o conteúdo de cada um deles. Ele é tão genial que, invariavelmente, é sempre coautor que, com sua interpretação criativa, consegue reescrever o que estava escrito sem sequer mexer em uma só linha dos textos.

Em cada personagem que ele interpretou, aplicou a técnica de desconstruir e construir de novo de uma forma tão absurdamente inteligente que conseguia multiplicá-los por três: o real, o revisto e um terceiro, moldado ao seu estilo satírico, irreverente e analítico. Foi grande no humor e revelou sua competência na dramaturgia em *O que é isso, companheiro?*, do Bruno Barreto.

Como apresentador, deu um show no *Programa Legal*, e como repórter, em *Brasil Legal*, ao lado de sua parceira

Regina Casé, dos tempos inovadores do Asdrúbal Trouxe o Trombone. Ainda na minha época da Globo, me presenteou com sua atuação em *Comédia da vida privada*.

Não vou ficar citando todos os seus êxitos, porque o livro, certamente, se incumbirá disso. Mas quero registrar que o Luiz Fernando sempre foi simples, direto e cordial em todas as nossas reuniões de trabalho — muito divertidas, obviamente, porque mesmo fora de cena, ele é de matar de rir. Sou fã de carteirinha do Luiz Fernando Guimarães e o considero uma das maiores personalidades da história no nosso teatro, cinema e televisão.

2.
ASDRÚBAL TROUXE O TEATRO

Era 1974 e Marta Rosman, minha ex-colega de análise, disse que tinha um grupo de teatro amador cheio de jovens para estrear em vinte dias, e que um dos atores escalados estava com hepatite, então estavam fazendo testes para o papel dele. Fui ao Centro Israelita Brasileiro, em Copacabana, no Rio, e a turma estava ensaiando. Hamilton Vaz Pereira, diretor e mandachuva do grupo, fazia o personagem do ator que eu viria a substituir. Foi tudo meio simples e rápido, mas foi uma aula.

Durante o teste, me lembrei de Marco Nanini, que já tinha visto no teatro. Assisti a uma peça que ele fez com a Marieta Severo e o Wolf Maya, o musical *As desgraças de uma criança*, de Martins Pena (que entrou em cartaz em 1973). Nanini parava no meio para dar uma receita. Aquilo me marcou. Então, como esse meu personagem era um professor, inventei uma aula que foi, literalmente, o encontro da água do mar com a água do rio: a pororoca. E meu professor interpretava fisicamente a pororoca, que depois virou uma arara. Não tenho noção nenhuma de como inventei isso e nem por quê. Acabou que o teste foi tão bom que essa cena ficou na peça.

Como não existia cenário, Hamilton (que é uma mente brilhante) colocava uns caixotes para o ator protagonizar a cena. Foi um sobe e desce de atores em cima do caixote. Dava minha aula e não sei como não caía de cima daquele caixote.

Em vinte dias estávamos estreando *O inspetor geral*, de Nikolai Gógol. Ali, aquele grupo me aceitou. Ali, então, fiquei. Sem dinheiro, mas estreando no Teatro Opinião, muito famoso e conceituado, um verdadeiro point na época. Com a maior cara de pau, chamamos a nata da nata da dramaturgia e do showbiz. Chamamos Nelson Motta, Marília Pêra e todos os críticos da época.

Ficamos em cartaz no Teatro Opinião e nosso espetáculo foi considerado um dos cinco melhores do Rio de Janeiro em 1975. Regina Casé virou minha amiga já nessa época. Pelas mãos dela, fui para o teatro, junto com a turma do Evandro Mesquita, Patrícya Travassos, Débora Bloch e Daniel Dantas. Considero Regina Casé e Marta Rosman minhas madrinhas artísticas. Do meu trabalho anterior para a primeira peça, em um curto espaço de tempo, tive uma fase bem movimentada e conheci muita gente. Um mundo novo se abria para mim.

Foi o começo de uma nova fase, outra instância da minha vida. Quando realmente me fixei junto ao Asdrúbal, o grupo já estava precisando viajar com a peça. Naquela época, existia a Sociedade Brasileira de Autores Teatrais (SBAT). Perfeito Fortuna trabalhava lá e nos deu a possibilidade de fazer uma viagem com *O inspetor geral*, pela primeira vez, por cidades no interior do estado do Rio de Janeiro. Apresentamos a peça em quadras de futebol etc., não tinha problema. Quando chegávamos às cidades, achavam que éramos uma banda de rock, ninguém sabia direito o que nós éramos. Volta Redonda, Resende, Nova Friburgo, Teresópolis, Petrópolis, Barra do Piraí, rodamos tudo! Começamos a aprender a fazer um teatro que é, ao mesmo tempo, dramático e naturalista, em que você é o personagem, mas é você mesmo.

Asdrúbal Trouxe o Trombone começou a tomar grandes proporções, mas nós seguimos fazendo tudo do nosso jeito. Depois do sucesso com *O inspetor geral*, partimos para outra, *Ubu Rei*, de Alfred Jarry, ainda em 1975, no Teatro Cacilda Becker, no Catete. Ensaiávamos perto do Largo do Machado e nos uníamos para pegar sobras de panos e roupas do Theatro Municipal e de outros lugares, para depois transformar as sobras em figurinos.

O Asdrúbal revelou uma geração de talentos e marcou profundamente a dramaturgia brasileira, sobretudo no jeito de fazer comédia. Não sabíamos disso na época, é claro. Meus primeiros papéis foram todos com a cara pintada, assim ficava fácil, pois você não é você. Quando se tira a máscara, pronto: ninguém te reconhece. É igual Carnaval!

A gente escolhia uma peça ou um texto internacional e trazia para a nossa realidade carioca. Isso foi muito impactante e reverberou tanto que criamos o Festival de Teatro Amador, e mais de setenta grupos de teatro se inscreveram. Estávamos influenciando com nosso jeito debochado, livre, inadequado e espontâneo.

Nessa época, as críticas de teatro nos jornais do Rio eram escritas por nomes como Yan Michalski, Bárbara Heliodora, Macksen Luiz, entre outros. Estavam gostando da gente porque esculhambávamos clássicos como *O inspetor geral*. Mas questionavam sempre: por que não fazíamos nosso próprio texto? Pela falta de informação que tínhamos, os clássicos se tornavam opções mais flexíveis. Uma brincadeira, mesmo; e a gente se divertia. Não íamos pelo lado tradicional. Tudo foi muito bem produzido e realizado com muita dedicação. Mas diziam que o caminho era o autoral etc. e tal. Foi aí que o Hamilton falou:

— Então vamos criar uma peça!

Foi assim que surgiu *Trate-me Leão* (1977), o maior sucesso do grupo. O título foi criado por Evandro Mesquita e a elaboração da peça era mais ou menos assim: cada um se sentava num cantinho e escrevia esquetes. Tive a ideia de pegar muita coisa do meu edifício, na praça São Salvador. Levei esses textos para o ensaio e fiz meu esquete no meio do salão. O Hamilton ia pegando os melhores momentos, juntando tudo, como se fosse uma edição. Acabou virando uma peça de autoria coletiva. *Trate-me Leão* começava numa festa dentro de um apartamento, depois ia para as áreas comuns do prédio, seguia pelo bairro e a cidade. Existe uma geografia nessa história, em cada lugar havia um

32 Luiz Fernando Guimarães

problema diferente. Em uma cena no banheiro, com Evandro, Regina e Patricya, eram falados os segredos. Trocávamos de nomes, o personagem do Evandro se chamava Luiz, o meu se chamava Evandro, a Regina se chamava Patricya, e por aí ia.

Foi em *Trate-me Leão* que tive que "tirar a máscara", digamos assim. Parar de pintar a cara. Isso já me indicava uma sensação de seriedade. E também foi quando comecei a me tocar que ia seguir essa profissão para sempre. Para estrear uma peça, o Asdrúbal Trouxe o Trombone levava muito tempo, pois grupo precisava se entrosar antes. Lembrei de uma cena, no final do primeiro ato de *Trate-me Leão*, em que ficamos nus, porque um disco voador descia. Fizemos um dia todo nus, para nos acostumarmos com todo mundo pelado. Nós fazíamos os ensaios ali na Casa do Estudante, no bairro do Flamengo, e tive um problema na pele; lá tinha muita poeira. Foi aí que o Evandro me apelidou de Derbis.

Fizemos uma sessão da peça às cinco e meia da tarde no Teatro Dulcina. O Brasil estava em plena ditadura militar e o show seguinte, às sete da noite, era do Dzi Croquettes. Imagina isso? Para nossa sorte, a censura imposta pelos militares não conseguia entender nada, de tão louco que era. Fizemos um espetáculo para uma censora que não entendeu absolutamente nada. Na época tinha isso, a gente tinha que fazer a peça para uma pessoa do órgão da censura que aprovava ou não. Desse modo, o espetáculo passou no crivo dela.

Nunca fomos um tipo de teatro político, fazíamos questão de ser um teatro comportamental, por isso não tivemos tantos problemas com a censura. Claro que havia críticas no texto, mas eles não sacavam. E, no meio disso, a esquerda achava que a gente era um tanto alienado, que não falava suficientemente de política, e a direita achava que éramos loucos e subversivos.

Nós não dominávamos a técnica e nem éramos atores consagrados, então seguimos pela bagunça. E o público jovem se identificava com a gente; dessa forma, nosso público era, basicamente, de estudantes. Porto Alegre foi o primeiro lugar a que levamos o espetáculo, depois do Rio de Janeiro. Ficamos em cartaz no Cine Teatro Presidente. Eram filas enormes de colegiais, às cinco e meia da tarde. Um frio danado e uma plateia silenciosa. Nunca uma plateia tinha ficado sem rir, sem reação nenhuma, como a de Porto Alegre. Achei que ninguém estava gostando de nada. Para minha surpresa, quando acabou o espetáculo, a plateia uivava, aplaudia delirantemente. Foi, certamente, uma das cidades em que mais fizemos sucesso. E foi um entendimento do nosso espetáculo completamente diferente da plateia do Rio, que era mais desencanada, participava mais. Só sei que fomos capa de todos os jornais da cidade.

Em seguida, fomos para Santa Maria, no Rio Grande do Sul. Na onda do sucesso em Porto Alegre, os ingressos se esgotaram rapidamente. E praticamente tudo foi comprado por estudantes. Os militares acharam muito estranho aquele grupo que mobilizava um monte de jovens e algumas pessoas da equipe acabaram presas, acusadas por porte ilegal de drogas. Tinha maconha? Tinha. Mas prenderam mesmo para servir de exemplo. Foram quatro pessoas para a prisão, eu não estava entre elas, mas, por isso, não conseguimos fazer a peça. E era o que eles queriam mesmo: acabar com aquela apresentação — que seria no Sete de Setembro.

Nossa vida na estrada era uma loucura! Tínhamos duas peruas kombi: uma para o cenário e outra para os atores. Quando a gente voltava para o Rio, da turnê por outras cidades, vendíamos as peruas para recapitalizar. O nosso dinheiro era guardado numa caixa de madeira de catupiry. E Hamilton era o guardião da caixa!

O ano de 1979 foi inteiro assim, burilando o espetáculo, querendo o mesmo sucesso da peça anterior. Perfeito Fortuna propôs o nome *Aquela coisa toda*, "algo que ninguém define, mas sabe que existe". Hamilton gostou das iniciais que formavam "ACT" (ação, em inglês), e o nome ficou. A peça estreou em janeiro de 1980. Sofremos críticas e o grupo quase acabou, mas fomos firmes e adaptamos as cenas, fizemos ajustes ao longo da temporada — quando começaram a gostar mais do espetáculo. *Aquela coisa toda* foi nossa quarta peça e, além de usarmos a mesma tática informal e engraçada de falar de nós mesmos, isto é, dos próprios atores, somou-se a filosofia de Nietzsche às experiências de nossas viagens pelo Brasil. A apresentação foi intensa e lembrava o balé; falava do teatro e de seus estilos. Surgiram Chacal, José Lavigne e Vicente Pereira. Hamilton propôs a entrada de novos atores, mas o entrosamento ficou meio estranho. Isso gerou desentendimentos e a Nina de Pádua deixou o Asdrúbal, assim como os integrantes novos.

Depoimento de Fernanda Montenegro

Luiz Fernando, eu vi você quando dos seus 25 anos, no grupo Asdrúbal Trouxe o Trombone. O que me chamou a atenção, entre tantos talentos em cenas gloriosas da montagem histórica da peça *O inspetor geral*, foi o seu jogo cênico de não se didatizar. Uma atuação intrínseca, vinda de um humor particular — o "aqui entre nós". Fisicamente, de presença absoluta, no "o quanto menos, mais". Essa é a sua assinatura de ator de talento absoluto na comédia, no drama, na farsa. E, querido amigo, acima de tudo, em cena e na vida, uma postura humana sua tão generosa, tão acolhedora, tão irmanada. Receba, querido Luiz Fernando, o nosso imenso agradecimento pelo ator e pelo ser humano tão bonito que você é.

Efervescentes

Houve um momento em que estudiosos passaram a nos acompanhar — como a Heloisa Buarque de Hollanda, por exemplo, que nos colocou como tema de sua tese. Houve um certo hype e acabaram sugerindo que a gente usasse nosso conhecimento e o espalhasse por aí.

O Asdrúbal se juntou à Deborah Colker e outros artistas e produtores que tinham movimentos culturais no Rio de Janeiro. Fizemos uma parada circense. Uma passeata pela praia com grupos de teatro, de dança, da música, e isso descambou, depois, na inauguração do Circo Voador, que começou no Arpoador e se tornou um dos mais importantes espaços culturais do Brasil.

Perfeito Fortuna estava criando e montando o Circo e Cazuza, As Frenéticas, Lobão, Bebel Gilberto, todos viviam por lá, fizeram até algumas aulas. Patricya Travassos e Evandro Mesquita deram um curso de interpretação, eu e Regina também, sempre em duplas. Dávamos aula sem nem preparar nada. No nosso grupo tinha Cazuza, Gringo Cardia, Fernanda Abreu e Chacal. Tudo para movimentar o Circo culturalmente.

O pessoal do Asdrúbal é que ensinava como funcionava a mecânica da produção, mas às vezes até aulas de teatro nós dávamos. Tudo bem artesanal, mas já começava uma conversa sobre a profissionalização dos atores do grupo. Acabamos sendo um teatro-escola. Fazíamos de tudo, quem parava lá no Asdrúbal aprendia sobre iluminação, produção, som, textos e tudo o que fosse preciso para realizar uma produção teatral naquele momento.

Na época, a efervescência cultural inspirou a formação da Blitz, banda do Evandro com Lobão, Fernanda Abreu e

Eu sou uma série de 11 capítulos: a autobiografia 37

Marcia Bulcão. Apesar de a Blitz ter surgido ali no Asdrúbal, nunca tive aptidão para ir para o lado da música. Cantei nos musicais e tudo, mas esse não foi meu caminho.

Um parêntese: me lembro também de um fato curioso, ligado à música; estava eu ali no Aterro do Flamengo, num dia cinzento e londrino, acho que estava correndo, e vi passar um cara que parecia ser o George Harrison, dos Beatles. Fiquei pensando: "Aquele cara ali é o George Harrison" e aquilo não me saía da cabeça. Até que descobri que, sim, o George Harrison veio ao Brasil sem ninguém saber, e ficou hospedado lá na casa do Jorginho Guinle. Realmente era ele, o vi passando na minha frente e perdi o furo da notícia.

E, pensando em música e no Circo, uma loucura do Asdrúbal que me marcou muito foi quando decidimos fazer *O musical dos musicais* (1982), no Circo Voador, e pedimos para Ítala Nandi, Sérgio Mamberti, Marília Pêra, Marco Nanini, Fernanda Montenegro, Renato Borghi, Othon Bastos e muitos outros atores, que já tinham cantado em suas peças, que fossem cantar no nosso musical. E tínhamos muita sorte porque esses artistas topavam os nossos convites. Não sei se pela cara de pau ou por qual a razão, mas as pessoas acharam o convite maravilhoso e tudo acabou sendo extraordinário.

Começamos a conhecer vários grupos de teatro amador com o mesmo estilo que a gente. Entre eles, a Companhia Tragicômica Jaz-o-Coração, a Banduendes Por Acaso Estrelados, a Beijo na Boca e a Diz-Ritmia. Mais do que a montagem do texto, para nós, interessava expressar a realidade pessoal e também a coletiva, servindo-se da obra apenas como estímulo.

Acho que o espetáculo do Asdrúbal que mais ficou na minha cabeça foi *A farra da Terra* (1983), porque falava do planeta. Foi um espetáculo tão intenso, tão intenso, que se tornou dois espetáculos: era um musical, enorme, de quatro horas. E, por isso, acabou dividido em dois. As músicas foram compostas por Péricles Cavalcante e Hamilton. Geniais.

Teve tudo que gosto, Disney, urso, leão, eu fazia um jacaré... a gente fazia cobra, macaco. E o espetáculo "se" montou, em si mesmo, não vinha pronto, como o *Trate-me Leão* — que teve início, meio e fim, os personagens com nomes, os figurinos e a trilha sonora certinhos e tal. *A farra da Terra* foi emblemático para nós e para o público. Para cada um de nós, o espetáculo deu autonomia, uma espécie de autoria. Fez com que nos responsabilizássemos pelo texto.

Na peça, além de jacaré, me vesti de astronauta, urso, indígena, Stevie Wonder... Foi nessa época que tivemos, pela primeira vez, uma banda ao vivo no nosso palco. E foi quando fomos convidados a fazer um disco do espetáculo, que saiu pela Philips/PolyGram e que foi produzido por Caetano Veloso. Como Caetano foi parar nessa? Ele sempre gostava de nossas peças e era namorado da Regina na época. Ainda tivemos uma forcinha do Péricles, que o chamou um dia e disse:

— Só você pode produzir isso, Caetano!

Era 1983, foi o ano do lançamento do álbum *Uns*, do Caetano. E, mesmo assim, ele foi para o estúdio produzir com a gente. Hamilton compôs as músicas, Péricles Cavalcanti também. Todos nós cantamos no álbum. Estávamos com a peça em cartaz no Sesc Pompeia, em São Paulo, e gravando o disco ao mesmo tempo.

Os espetáculos do Asdrúbal ofereceram aos espectadores uma estrutura aberta de um processo em que os atores mostravam seus mecanismos dramatúrgicos de forma lúdica. E aí os críticos começaram a chamar de besteirol. Só que a gente não gostava no começo, nem sabia o que significava isso! Eu acho é que grande parte dos críticos — assim como a ditadura militar — não entendia nossos espetáculos. Mas quando a crítica nos dava uma página inteira, era lucro.

O Asdrúbal viveu o tempo exato dos seus cinco espetáculos. Não teve exatamente alguém chegando e dizendo: o grupo acabou. Aquela coisa toda esgotou o tema. E foi se acabando. A Blitz começou, todos já estavam com trabalhos paralelos na TV. Foi um término espontâneo. Ninguém brigou, somos amigos até hoje.

E, pensando bem, ao escrever essas linhas, percebo que o Asdrúbal nunca acabou. Asdrúbal é uma consciência. Eu faço um trabalho e sinto o Asdrúbal dentro de mim. Foi uma escola tão intensa e profunda que a gente nunca deixa de ser. São raízes. E muito profundas. Acredito que em todos os meus amigos que estiveram comigo nessa também.

Então, o Asdrúbal nunca terminou.

Depoimento de Nelson Motta

A primeira vez que vi o Luiz Fernando foi no Asdrúbal. Já seguia esse grupo espetacular antes da entrada do Luiz Fernando. Mas o grande momento ali foi a peça *Trate-me Leão*, que se tornou um grande sucesso pros jovens. As apresentações eram no Teatro Ipanema, a uma quadra da praia, então os jovens todos ficavam na praia até sete horas da noite e iam direto para a plateia do teatro de chinelo e roupa molhada. Parecia mais um show de rock do que uma peça de teatro!

Para essa geração o teatro era velho, careta, era teatrão, e o Asdrúbal veio como uma novidade. A juventude achou espetacular porque a linguagem era a mesma, as inquietações, os perrengues. E o teatro ia surgindo paralelo à geração do Rock Brasil, e também à onda dos grandes designers pop, como Luiz Stein e Gringo Cardia.

Nessa mesma época também surgia *O planeta diário*, um jornalzinho que trazia outra forma de humor, e que foi o precursor do programa *Casseta & Planeta*. Tudo veio junto com o Asdrúbal e, dentro do grupo, o Luiz Fernando era uma presença hilariante. Pela figura dele! Parado já era engraçado! Sempre teve um "tempo de comédia" fodido!

Na peça *Trate-me Leão*, ele interpretava um personagem preguiçoso e vagabundo, que não fazia nada, no meio de uns hippies que moravam em uma comunidade. Essa é a primeira imagem, depois Luiz ia aperfeiçoar e multiplicar esse personagem, milhares de vezes! O grande momento do Luiz Fernando é em *Os Normais*, ao lado de Fernanda Torres. Ali é a maturidade plena do ator com uma parceira espetacular, em sintonia. Ali, o Luiz Fernando fez história para a massa. Considero um trabalho-síntese da carreira dele, já que Luiz vivia vários personagens dentro do Rui, ao lado da Vani.

3.
BAIXO GÁVEA-LEBLON, AMIGOS E OUTRAS VIAGENS

Nós e muitos outros atores, músicos, produtores e cantores fizemos parte de uma geração, a turma do Baixo Gávea, que às vezes andava também pelo Baixo Leblon. Débora Bloch, Marcus Alvisi e Diogo Vilela, eram alguns desses atores. Morávamos na Marquês de São Vicente, lá em cima da Gávea, em meados dos anos 1970. Sérgio Mamberti foi uma das pessoas que morou na minha casa; era uma comunidade meio estilo Novos Baianos, pós-hippie.

Outra pessoa que fazia parte dessa geração era Carla Camurati, com quem tenho uma relação muito linda. Já o paulista Thales Pan Chacon, conheci um pouco menos. Ele e outros amigos de São Paulo frequentaram essa turma grande, que completava essa geração no Rio. O Lauro Corona não conheci muito, ele já era um astro da televisão quando comecei no teatro.

Anos depois, eu estava no Baixo Gávea e o Marcus Alvisi estava em Paris com Jorge Fernando, Carla Camurati e Maria Zilda. Zilda ligou e disse: "Luiz, vem pra cá, aqui tá ótimo" e eu disse: "Não sei falar a língua", e ela: "Pega um avião que te espero no aeroporto". Não sei de onde tirei a cara e a coragem para ir pegar este avião. Cheguei lá, naquele aeroporto enorme da França, Charles de Gaulle, e pensei: "Tô fodido aqui, como é que vou voltar pra casa, não tenho nem passagem de volta!". Então andei, andei e achei o Marcus Alvisi, a Carla, o Jorginho Fernando e a Zilda.

A Maria Zilda alugou uma casinha de dois andares em Paris. E todos nós fomos morar juntos lá, depois em Londres, Roma e Veneza. Zilda foi uma mãe para mim. Fazia compras, com seu inglês fluente, arrumava todos os ingressos para irmos ver os espetáculos, cuidava de tudo. Tive vários amigos cuidadores ao longo da vida. A coisa toda era assim. Acontecia.

Vivíamos um período de juventude e de muito frescor. Isso me faz relembrar o tanto que sou fã de As Frenéticas, um espetáculo, um fenômeno. Eu fui no Frenetic Dancing Days, no Shopping da Gávea, que era uma casa de shows/discoteca, fundada em 1976, onde elas se apresentavam. Assisti também às apresentações delas no Morro da Urca. Tudo produzido pelo Nelsinho Motta. O Dancing Days virou novela, uma coisa escandalosa, o mundo artístico inteiro estava lá, uma liberdade absurda, tipo o Studio 54, em Nova York, sabe?

As Frenéticas foram, cada uma do seu jeito, tudo de bom. Sandra Pêra era diferente da Lidoka, que por sua vez já era diferente da Dudu, esta que também não tinha semelhança alguma com a Leiloca. Aliás, dei uns beijinhos na Lidoka, tentei ser namorado dela, mas não levava jeito... Não era a minha. Mas, amigos que nos tornamos, fui junto com elas em um ônibus por aí. As meninas ainda nem sabiam o tamanho que já tinham pelo Brasil afora. Acompanhar aquela turnê foi um sonho. Eu ficava atrás, no backstage, e as pessoas gritavam loucamente: elas eram como os Beatles aqui no Brasil!

E eram minhas amigas, as vi nascerem artisticamente. Me dava um baita orgulho quando as via ensaiando na casa delas, na rua Carlos Góis, no Leblon. Era um entra e sai danado ali. Não sei como é que a gente acordava no dia seguinte e tinha energia. Elas eram vizinhas do Ney Matogrosso. Olha que mundo delicioso!

O Ney é um caso à parte. Ele tinha um secretário, o Luizinho, e antes de eu me tornar amigo do Ney, fiquei chapa do Luizinho, só para chegar perto do Ney. Puxei muito da minha mãe nisso, sou muito abusado, vou logo me aproximando.

Fui ver Ney lá em Curitiba, quando nós do Asdrúbal fazíamos a peça no Teatro Guairinha. Ney, já ídolo, fazia show no Teatro Guairão. Nosso espetáculo foi para oitenta pessoas, e ele fez apresentação para 3 mil. Até hoje somos amigos.

Certa vez, levei Ney Matogrosso lá em Campos dos Goytacazes. Intuí que lá ele iria conhecer um namorado. Coisas da minha cabeça. Eu namorava o Manel, estudante de medicina. Ele morava em uma república por lá, com outros cinco estudantes de medicina. Entre eles, o Marco.

E eu achei que ele e o Ney iam namorar. O convenci a ir. Não me pergunte como. O Ney já era "O" Ney.

A república era em um conjugado de três andares, ele ficou hospedado lá. E não é que ele e Marco se encantaram e engataram um namoro? Aliás, falando em influências, eu que influenciei o Ney a comprar a terra dele, que ele tem até hoje, no Rio. Ficamos uma semana em Búzios, tomando ácido. E uma hora lá, não sei por que, falei:

— Pô, Ney, tua casa parece um... uma... casa comum...

Nessa época, ele morava numa casa, no Rio, toda em mármore. Uma entrada cujo portão Ney abria lá de cima e a gente ia subindo por um caminho iluminado, tipo de aeroporto. Tudo muito cafona. A gente levava uma turma lá. Era bem a época do começo da carreira solo dele, em meados dos anos 1970. A gente se esbaldava a noite inteira. O banheiro era gigante, quase do tamanho da sala do meu apartamento do Jardim Botânico hoje. A gente vivia lá, tudo maconheiro!

Mas, na volta de Búzios, em um determinado momento, vimos uma floresta e Ney avistou uma cachoeira. E fomos subindo, tinha uma daquelas paradas para comer coisas de milho (odeio pamonha!). Eu e o Ney ficamos olhando lá em cima, aquele terreno, quando fomos tomar um caldo de cana. Pamonha estava fora de minha cogitação.

— Como é que é o nome dessa serra? — perguntei ao vendedor.

— Serra de Mato Grosso! — ele respondeu.

— Ney, Serra de Mato Grosso, caramba — eu disse a ele, que já estava excitado com o nome do local.

— Queria viver a vida nesse lugar — disse o Ney.

No dia seguinte, Ney me liga:

— Comprei a cachoeira.

Ele ama aquele lugar, e é muito legal mesmo. É a cara do Ney! O contorno pra chegar na casa dele é uma loucura! Parece que você está dentro da floresta. E como a mãe dele e a irmã moram na fazenda, tem toda uma proteção familiar. E Ney faz um trabalho muito legal por lá, de solturas de animais.

Depoimento de Ney Matogrosso

Quando conheci Luiz Fernando, eu estava no Sul, em 1976, fazendo o show *Bandido* e ele estava com *Trate-me Leão* em cartaz. Daí por diante, nunca mais deixamos de ser amigos. Ele tem muitos amigos, muito mais que eu. Mas nossa relação foi instantânea, de não descolar e de frequentar as casas um do outro. Sempre gostei muito de andar com ele na rua porque ninguém me via, mas viam o Luiz. Quando notavam que eu era eu, já tinham passado por nós e eu parecia anônimo. Nós ríamos disso.

Fui muitas vezes à casa da mãe dele, na praça São Salvador, em Laranjeiras, e conheci toda sua família. Gostava muito da Yara. Era uma pessoa séria, mas divertida. Conheci também o pai. Lembro menos dele, não era isolado, mas era mais na dele. Depois, Fernando morou no Alto da

Gávea, numa república, com vários artistas. Quando tive uma casa em Rio do Ouro, lá para os lados de Niterói, resolvemos ir para Búzios, onde eu não ia há dezesseis anos. Na volta, passando de carro pela estrada velha, no município de Sampaio Correa (que é distrito de Saquarema), avistamos um local que parecia uma floresta! Comentei com ele: "Fernando, esse lugar é tudo que eu queria na minha vida". E comprei aquilo!

Nos anos 1970 e 1980, a gente vivia na praia de Ipanema, no posto 9, que era quase o nosso escritório. Uma turma grande, que tinha a Regina Casé, o Caetano Veloso, a Patrycya Travassos e muitas outras pessoas.

Vivemos tanto, vivemos muitas coisas. Na época da aids, nós perdemos muitos amigos. Foi muito barra pesada, ele perdeu um namorado. Nós tínhamos muitos amigos em comum que se foram. Era um momento muito tristonho de nossas vidas. Mas sempre estivemos ao lado do outro.

Dos trabalhos dele, tudo na televisão e no teatro eu vi. Mas teve um Brecht que ele fez sozinho no teatro e que foi um grande destaque, gostei muito, era uma faceta nova. Foi a primeira vez que o vi atuando fora da comédia, estava muito convincente. Ele é muito talentoso! Gosto de tudo que Fernando fez em todas as épocas e fases.

Hoje, com os filhos, ele revive um pouco a criança que foi. A gente tem que estar de acordo com o que nossos amigos fazem. Confesso que não tenho essa coragem de ter filho. E ele já adotou dois! E a coisa mais linda do mundo é que são irmãos. Então, admiro muito essa coragem, porque é uma responsabilidade muito grande. Luiz sempre foi um cara muito vigoroso. Agora, é claro, as crianças devem dar um motivo a mais para ele, mas Luiz sempre teve muito vigor. E, mesmo não tendo em mim a tendência ou a necessidade de um casamento, admiro a relação dele com Adriano.

Eles se expuseram, se casaram, adotaram. Nunca existiu o Fernando "no armário". Todos têm direito de ser o que bem entenderem. Quem quiser ser trans, seja, ser assexuado também pode, pode ser o que quiser. Tudo é permitido e tudo é de foro íntimo de cada um. Ninguém pode se meter na vida de ninguém e muito menos dizer o que está certo e o que está errado. O povo ainda é muito ignorante em relação a esses assuntos. Estamos na pré-história da nova história.

O luto

A morte de amigos e parentes é sempre algo complexo. Eu fui administrando as perdas como deu. Na época do HIV, nos anos 1980, era uma pessoa indo embora atrás da outra. Você sabe o que me ajudou muito nessa época? Uma música do Guilherme Arantes, aquela que fala assim: "Amanhã será um lindo dia/ Da mais louca alegria/ Que se possa imaginar". Nossa, mas eu chorava e chorava, e botava essa música em loop. Morava ali na Bartolomeu Mitre, no Leblon. Não sei se era uma esperança no futuro, ou não, ou uma forma de viver o luto. Não sei explicar, mas ouvia a música porque me lembrava desses amigos. Eu realmente queria acreditar em um amanhã mais bonito.

Foi uma época em que não dava para chorar apenas por uma pessoa. Era um salve-se quem puder. Nós éramos um grupo, digamos, de trinta pessoas que andavam em bando por São Paulo e pelo Rio. E, desse grupo, ficaram cinco, seis pessoas.

Imagine passar da alegria total, de As Frenéticas, da juventude, para aquele luto constante. De repente, a gente começa a sofrer as perdas. E, como disse o Ney no depoimento dele, perdi o Manel, meu ex-namorado geminiano e que foi um grande amor da minha vida. Foi no final dos anos 1970. Com ele devo ter ficado três, quatro anos. Faleceu antes da explosão da aids, mas foi o HIV. Na época em que ele morreu, eu já namorava outro cara, ele também estava com outro quando contraiu o vírus.

Eu o visitei, quando ele estava bem doente. Era uma época em que o HIV carregava uma vergonha tão grande que as pessoas não queriam nem falar sobre isso. Muita gente não assumia. Então, ele não queria parar de trabalhar. As pessoas tentavam continuar a vida como dava, iam se debilitando até o dia em que sumiam. Foi assim com o Manel. E não dava tempo de chorar.

Eu tenho muita saudade do Claudio Gaya, do Dzi Croquettes, além do Milton, que foi de uma turma de São Paulo. Saudades do Rodolfo Bottino, maravilhoso. Costumava comer para matar a fome, só comia sanduíche. Aí vem o

Bottino, apresentando aquelas comidas finas. A partir de certa época da vida, ele se aproximou da gastronomia. Rodolfo fazia massas como ninguém, tinha um restaurante e um programa de TV sobre culinária, na TV Brasil, Canal 2 aqui do Rio.

Sempre quis fazer uma casa, um sítio, no qual pudesse reunir amigos. Foi como nasceu o sítio que tenho hoje. Lá atrás, nos meus planos, pensei: "Vou fazer agora um negócio pra gente! Vai ser uma diversão reunir todos aqui". Quando consegui comprar o terreno, já tinha morrido doze amigos.

Sinto falta de todos até hoje, mas superei a dor. Vamos nos acostumando com a ausência, que é muito rápida, diferente da presença, que é constante. Conseguíamos acompanhar um processo, a pessoa não ia da noite para o dia, meus amigos não foram assim — exceto os que tinham HIV.

O Guilherme Karam, por exemplo, começou a sofrer de uma doença degenerativa. Lembro que uma vez fomos à rua Siqueira Campos, em Copacabana. Às vezes, Karam dava uma caída. Falei: "Guilherme, porque você está mal?". E ele dizia: "Ah, não é nada, não!", e foi perdendo o equilíbrio, mas eu não sabia o que era de fato. Ele sumiu, se ausentou muito. Existem muitos casos assim, a família protege e esconde, não acho muito saudável isso, não. Ele acabou morrendo dessa doença (Machado-Joseph). Meu grande amigo, parceiro de *TV Pirata*. Ele esteve comigo lá em Mazomba, onde hoje eu tenho meu sítio. Está vendo? Construí esse meu sítio para mim, para minha família e para meus amigos. E, por isso, também foi pensando nele.

Sou mediúnico. Minha mãe me dizia que eu era quando pequeno. Eu sempre tive uma tendência a me testar. Eu ia naquele lugar escuro de que tinha medo e me testava até onde ia meu medo. E sinto presenças. Sempre sinto no sentido de proteção, de coisas boas. E, como tenho muitos amigos que já morreram, hoje em dia sinto a presença deles lá. Acredito que eles estão aqui de alguma forma.

A morte de meus familiares — minha mãe, meu pai e meu irmão mais velho, meu herói — foram mais assimiladas para mim. Explico: Como eu estava ao lado deles e fui vivendo o desgaste, as doenças... comecei a me despedir aos poucos. Minha mãe morreu por causas naturais, mas foi se debilitando no fim da vida. Ela ficou confusa e eu entrava na onda dela. Batia altos papos de confusão; ela sempre vai viver em mim.

Lembro claramente do dia em que minha mãe morreu. A funcionária que trabalhava na casa dela me ligou:

— Oh, bebê, sua mãe morreu.

E eu fui à casa dela. Preparei as papeladas, o enterro. O velório e o enterro dela foram uma das coisas mais espetaculares que aconteceram em minha vida.

No velório ao lado, tinha um traficante sendo velado e as amantes estavam brigando. Quando desceu o caixão da minha mãe, comecei a ouvir barulhos: "pow pow". Eu pensei: quem será que está soltando fogos tão próximo? Foi quando vi as pessoas se jogando no chão, se abaixando. E eu em pé. Eram tiros. Não foi um velório. Ela teve uma festividade!

Meu pai teve Alzheimer. Foi mais complicado, mas sempre tive uma paciência muito grande. Fui vivendo aquilo tudo. E ele acabou morrendo de câncer, mas já sabia que ele estava indo embora. No funeral, vesti meu pai, com a ajuda de um amigo. Escolhi caixão e o vesti. Aquilo tudo foi tão automático que até hoje não consigo entender direito a cena que vivenciei.

Meu irmão mais velho também foi câncer. Lembro de um episódio em que entrei no quarto e ele estava fumando e a gente já tinha tido discussões para ele parar.

— Quer fumar? Fuma! Foda-se, caralho — eu disse, acendendo um cigarro e indo à janela para fumar com ele.

E tem os amigos queridos que o trabalho me deu e já se despediram. Como Eva Wilma, que interpretou minha mãe em *Os Normais*, além de contracenar comigo e viver uma cientista em *O tempo não para*. Foi o último trabalho dela.

Tarcísio Meira, não sei por que, não trabalhamos juntos. Quando havia chance devíamos estar ocupados com novelas. Porque todo mundo de quem a gente gostava, queríamos no nosso programa. Em *Os Normais* isso foi mais fácil de acontecer, porque contracenávamos sempre com uma dupla convidada para intercalar com o Rui e a Vani.

Marília Pêra já me dirigiu, mas só de tê-la conhecido já teria sido um prêmio em minha vida. Arnaldo Jabor foi meu amigo, o Jô Soares, a Claudia Jimenez, o Hugo Carvana, a Cristina Aché... O estranho desse momento da vida é, justamente, dizer adeus a tanta gente. Mas, sim, sinto em muitos momentos que muitos dos que foram, vira e mexe, estão me protegendo.

As amigas

Como deu para perceber, tenho muitos amigos. E, desde o início da carreira, já estava cercado por uma turma incrível. Regina Casé, por exemplo, é uma dessas pessoas. A família dela tinha o costume de comer o nhoque da fortuna do dia 29, aquele que a gente deixa uma nota debaixo do prato para dar sorte e trazer prosperidade. Eu vivia lá todos os dias 29 para filar aquele nhoque delicioso! E a mãe da Regina falava muito:

— Luiz, você é maravilhoso, você é muito engraçado.

Eu não entendia nada do que era "ser engraçado". Mas me divertia e me sentia parte daquela família.

Como a Regina, fiz amigas para a vida. E minhas amigas, essas mulheres fortes, são muito importantes para mim. Todas elas. Claudia Raia, Débora Bloch, Patricya Travassos... Claudia, aliás, foi quem me ajudou muitas vezes a negociar os contratos com a Globo durante minha carreira.

Elas me contam segredos. Não que eu peça a elas para contar, apenas um belo dia me olham e dizem:

— Tenho uma coisa para contar pra você!

Ouço, esqueço, e o segredo fica guardado. Devo aparentar ser uma pessoa confiável. E, pensando bem, realmente, sou um túmulo. Tanto que esqueço o que elas me contam e aquilo fica guardado para sempre. E são assuntos muito profundos. Separações, paixões proibidas, essas coisas. Meu conselho é, quase sempre, o mesmo:

— Vai no seu impulso.

Assim como se dizem minhas madrinhas e protetoras, sou o padrinho e protetor de todas. Passei por tantas coisas com a Regina; a Débora, acompanhei em separações e uniões, vi os filhos nascerem; Patricya, conheci ainda casada com o primeiro marido, e com todas existe aquele afeto real. Com cada uma tenho uma particularidade.

No caso da Claudia, que até hoje chamo de "Patona", fui vê-la no musical *Chorus Line* e achei sensacional, mas não fui falar com ela logo de imediato. Um dia, na praia de Ipanema, Claudia tentava tirar um salto altíssimo, no posto 9. Para que não afundasse na areia, fui ajudar e ficamos amigos. Invisto muito na amizade. Vou para a casa da pessoa e falo:

— Olha, quero ser seu amigo, gosto de você.

Agora, se você me perguntar como é que é isso, sendo eu tímido do jeito que sou, realmente não sei responder.

Anos mais tarde, Claudia foi levar o Jarbas Homem de Mello, seu futuro marido, lá no sítio — um lugar de fugas, de prazeres, casamentos e separações, natureza... um lugar até infantil. Claudia foi de Prada, e a Prada dela afundou na bosta de uma vaca! Botou a mão na bosta para resgatar o item, porque Claudia não é essa fresca que parece, ao contrário, é muito coerente. Tem um quê de vedete, um quê de dançarina, é primorosa no que faz, muito mais que eu! Adoro rascunhar o personagem, Claudia já vai fundo. São diferentes características de ator.

Depoimento de Claudia Raia

Há sempre uma curiosidade no público de saber como é o artista por trás dos personagens. Muitas pessoas conhecem o Rui de *Os Normais*, os personagens que Luiz interpretou no *TV Pirata*, os tantos outros personagens que ele viveu na TV e no teatro. Eu tenho o privilégio de conhecer não só os personagens, mas a pessoa por trás deles, a mente brilhante que traz à vida tantas personas. Luiz Fernando Guimarães não é apenas um colega de profissão, ele é meu amigo-irmão. Para quem não acredita em relação entre homem e mulher além da romântica, tenho uma coisa a dizer: ela existe.

Minha relação com Ganso é assim, de brother. Para ele, eu não sou uma mulher: sou a Patona, a amiga que fala as verdades que às vezes ele nem quer ouvir — mas precisa. Tanto que muitos amigos me chamam para dar conselhos, para resolver situações complicadas... Foi assim, por exemplo, quando tive que ajudar a interná-lo em uma clínica de reabilitação, contra a vontade dele, para tratar o abuso de bebidas alcoólicas. Foi um momento tão difícil para mim, por ouvir que ele não queria, e mesmo assim seguir com a internação!

Ao mesmo tempo, estamos também nos momentos mais felizes um do outro. Eu o apresentei ao Adriano, por exemplo. Uma relação tão linda de quase trinta anos, uma família tão bonita que eles formaram agora com os filhos, Dante e Olívia. Ela, aliás, minha afilhada, porque, segundo Luiz Fernando, ela precisa de um bom modelo feminino na vida.

O que nos define é um encontro de almas. Luiz é uma pessoa raríssima: quando te olha, simplesmente te enxerga com uma profundidade absoluta, com um desprendimento. Ele é uma folha de papel em branco, no sentido de ter uma pureza tão encantadora quanto a de uma criança. Não há julgamento possível para ele. Luiz Fernando é a pessoa que simplesmente te vê por completo, com inteireza. É a pessoa que estará ao seu lado em absolutamente todos os momentos. Mas são todos, mesmo, amor! Se você estiver matando alguém, ele vai ser cúmplice. É nesse nível. Calma que isso é só um exemplo, tá, gente?! Luiz só mata as pessoas de rir, mesmo. Assim como ele está sempre disponível para as pessoas ao lado dele, quem o ama está sempre com a mão estendida para ajudá-lo. Porque Luiz Fernando é sinônimo disso: amor, companheirismo, alegria, vida... Você pode contar com ele para quase tudo. Quase porque não dá, por exemplo, pra acreditar que ele vai decorar a própria casa. Mas aí eu vou lá, organizo tudo — porque amo decorar casa, a minha e as dos outros. Ele só fica sabendo quando passa pelo local: "Patona passou por aqui", diz ele.

Luiz Fernando transborda luz! O mundo, sem dúvida, é um lugar mais bonito, de mais empatia e mais tolerante porque ele está aqui. E agora Luiz está ensinando tudo isso para uma próxima geração, que são os filhos dele. Eu só posso te aplaudir de pé, sempre. Se a gente pensar que tudo começa em casa, não tinha como Ganso ser diferente tendo a mãe que teve: uma mulher espetacular, completamente livre! Se os filhos se guiam pelo exemplo, Luiz Fernando não poderia ter tido exemplo melhor. Assim como Dante e Olívia também não poderiam ter um exemplo melhor de amor ao próximo, doação e empatia.

Rehab

Sei que você está curioso para saber a tal da internação forçada que a Claudia entregou aqui, não é? Então, vou contar. O bom de escrever um livro sem me prender à cronologia é que me permite ir e voltar. Isso já foi em 2017.

Perdi três anos da minha vida por causa do alcoolismo. Conversei com meu atual terapeuta e ele falou pra eu dizer isso no livro mesmo, que seria bom. Superei essa fase, mas os relatos são bem ruins.

Como boa parte das pessoas de minha geração, experimentei muitas drogas. Uma vez, tomei um ácido que me levava para o céu, parecia a aurora boreal. Essa é uma lembrança, se é que podemos chamar assim, positiva. Mas a bebida é complicada. É uma droga legalizada, que você acha em qualquer lugar. E comecei a abusar, mesmo. A bebida me fazia chorar. Eu sofria muito. E percebi que o álcool me separou de muitos amigos. Eles iam se afastando, se afastando, não falavam mais nada. A bebida me deixou com uma vida abandonada, meu sítio, sempre com muitas festas (como vou contar mais adiante), ficou entregue a ninguém.

Adriano e minha terapeuta na época, com a ajuda de amigos, como a Claudia, acharam que a internação seria a melhor saída. Eles disseram que eu iria passar um final de semana num spa. Na verdade, eu nem sei se ele falou que era spa ou se isso foi algo que criei em minha cabeça. Mas ele disse que seria bom para mim. E eu fui.

No sábado, eu até que fiz algumas terapias, assisti à TV... No domingo, eu comecei a notar as pessoas tremendo ao meu redor. Pessoas tendo altas crises de abstinência de todo tipo de droga. E me assustei. Quis ligar para o Adriano e foi quando percebi que tiraram o celular de mim. Me senti num filme de terror, em *Misery*. Meu sobrinho e afilhado, Flávio, sentiu minha falta. Perguntou ao Adriano onde eu estava e foi me tirar de lá.

Sei que Adriano e Claudia fizeram tudo na melhor das intenções. Eles sofriam e não queriam me ver daquele jeito. Sei, também, que aquela internação não deu certo. E eu continuei a beber. Mas passei a entender o problema mais profundamente. O alcoolismo, no meu caso, é uma doença hereditária. Quando você menos espera, já está bêbado. Acho importante falar isso.

Troquei meu terapeuta pelo atual e foi com ele, e muito consciente da minha doença, que consegui me controlar. Parei de beber só quando eu quis realmente. Mas, hoje, escrevendo sobre a experiência do "spa", posso dizer que aquilo me fez ver, nas pessoas internadas, o que eu podia me tornar. Vi que tinha gente que ia semana sim, semana não. Percebi pessoas debilitadas e destruídas. Eu estava no caminho de me tornar uma delas. E eu não queria. Mas, até hoje, entendo que é algo sob controle, é uma doença. E que "só uma dose" pode causar um efeito enorme.

4.
DRAMATURGIA E SEUS
AFLUENTES: O HUMOR

Interpretar, na realidade, é fingir. É tudo mentira, na verdade. A gente finge que é alguém e o público finge que acredita. É uma cumplicidade com a plateia muito grande. Atualmente se leva muito a sério algo que, na época em que comecei, era leve. Gosto, como ator, de ser o intermediário entre o personagem e o público. Fui criado assim no Asdrúbal, e assim sigo com a minha interpretação mais intuitiva. Também desapego muito rápido dos personagens, não sou de ficar arrastando, denso, levando o personagem para casa.

Os atores precisam procurar no personagem o conteúdo que está dentro de si para seguir na atuação. Algum ponto em comum na própria personalidade e, a partir dali, entrar em conexão. Tenho insegurança como qualquer ator. Mas é algo normal, não é paralisante. Essa história que dizem que um ator com a perna quebrada, quando entra em cena, não sente aquela perna quebrada, é verdade, mesmo. Fingimos tão bem ser alguém que até a gente mesmo acredita naquilo naquele momento.

Sou uma das pessoas que mais sua na vida. Suor é comigo mesmo! Já tive que parar algumas cenas. Quase deixei de fazer um programa por conta do ar-condicionado. Eu interpretava uma mulher, com peruca e tudo, não era frescura minha, sabe? A mulher iria ficar toda suada rapidinho. São coisas básicas, não sou metido à besta.

Outra coisa é que tenho pânico de barata voadora. Faz um tempo, estava em uma cena e, quando veio uma barata para cima de mim, dei um tapa na barata e a bicha foi parar na cara de uma senhora, na décima fila. Que vergonha! Foi a pior coisa que me aconteceu em cena na vida! Não sabia onde enfiar a minha cara e estava interpretando, tinha que me virar, ali, naquela situação. Parei a peça, desci até lá, pedi desculpas para a senhora quase de joelhos. Peguei a barata, botei enrolada em um papel, levei de volta para o palco e continuei a peça. Aplaudiram, é claro.

Não fico chateado quando sou associado a um só personagem, como no caso do Rui (aliás, falarei mais de *Os Normais* ainda neste capítulo). Para o povo, eu sou qualquer pessoa. Gosto dos fãs. Inclusive, já fui muito confundido nas ruas com o Pedro Bial. No aeroporto, em função da pandemia, as pessoas estão mais comportadas. E como aparento ser muito sério, as pessoas nem vêm falar comigo logo de cara. Mas sinto um movimento. Se você tira uma foto, fodeu! Todo mundo vê e aí vem em cima, mas costumo ficar quieto ali, no meu canto, sentadinho. Quando se está naquele momento de muita fama, você fica querendo se livrar um pouco daquelas situações. Não vai durar para sempre — ainda bem — e a gente sabe.

Nós, atores, devemos sempre pensar que emprestar nossa vida tem um significado muito grande. É a sua respiração, sua cara, seu bom humor, é você 100% presente!

E esse papo de que a pessoa está bem-humorada todo dia é mentira. Só que tem que se fazer presente! Não sou aquele comediante de escorregar na banana. Pastelão, tipo *O gordo e o magro*, Renato Aragão... Aliás, Renato Aragão é um artista incrível. Sempre soube que ele é espontâneo, improvisava e tal, mas quando fui ver *Os saltimbancos* fiquei impressionado. Se casou com uma mulher pela qual é apaixonado até hoje, chora pelo casamento, pela filha, chora no meio da peça. Isso é algo que acho muito lindo: o ator que tem aquela liberdade de, no meio do que está fazendo, sentir-se ele mesmo. Sou um pouco assim também, mas só um pouco. Adoraria ser mais.

Vejo que temos um mundo de novos atores maravilhosos, muitas vezes nem sei o nome deles. Lembro de João Baldasserini, Rafael Infante, Gregório Duvivier, Clarice Falcão, Fábio Porchat com suas imitações de Rui/Vani. Existem muitos. Mas, vou confessar: por incrível que pareça, não acompanho novelas, séries, não vejo muita televisão. Filmes, só às vezes.

Sou um ator que gosta muito de trabalhar, mas é pra ir embora logo. Sempre fui assim. Quero fazer as coisas, resolver, e ir embora. Essa história de que a gente ama o que faz e tal... claro, existe amor pela profissão. Mas se trabalha porque é preciso. Precisamos de dinheiro, de público. Digo mais: o ator é muito carente e precisa mesmo de admiração, de carinho, afagos, aplausos.

Depoimento de Guel Arraes

"Ele já começou a dizer o texto ou está só conversando?"
"Já saiu de cena ou isso ainda é texto?"

Com Luiz a gente nem sempre sabia quando ele tinha começado ou terminado uma cena. O impacto que se sentia ao vê-lo pela primeira vez representar — que, no seu caso, era não representar — deve ter sido semelhante ao que o público de João Gilberto sentia ao vê-lo cantar em seus inícios. Lembro de Luiz dizer: "Representar é ridículo". O que eu entendia como representar é ridículo, mas também como se o próprio ato de representar outra pessoa fosse ridículo e impossível, e que seria melhor trazer todos os personagens para si mesmo. Quando ele fazia *Os Normais* e algumas passagens mais ousadas do texto de Fernanda e Alexandre corriam o risco de um segmento mais conservador do público da TV rejeitar, Luiz tranquilizava a gente, dizendo que diria aquilo de um jeito que não seria chocante; eu atribuo isso à maneira como ele tornava tudo natural e, de certa forma, inocente.

Os que viveram com ele os primeiros tempos de teatro o chamam "Derbis", mas quando o conheci no início dos anos

1980, vi *Aquela coisa toda* umas dez vezes; ele já era o Luiz Fernando do Asdrúbal e, por isso, adotei o Luiz. Começamos a fazer televisão praticamente na mesma época e, por uns vinte anos, estivemos juntos de uma forma ou de outra. Luiz é um dos expoentes deste pequeno movimento artístico de comédia que invadiu a Globo a partir da segunda metade dos anos 1980 e seu estilo de representar — ou não representar — fez escola.

Humorista × comediante

Passei a vida inteira tentando diferenciar para as pessoas o humorista do comediante. Na minha visão, sou mesmo é comediante, vivo de situações. Humorista é o cara que sabe contar piada, eu não sei contar piada. Não tenho esse dom.

Costinha, Ary Toledo, Walter D'Ávila e tantos outros são as sínteses dos grandes humoristas. São geniais e estão sempre à beira do mau humor. As presenças e as figuras deles são ótimas, a ponto de explodir.

Dos humoristas mais novos, gosto de destacar Luis Lobianco, Gregório Duvivier e Paulo Gustavo, que foi impressionante. Tinha domínio pleno. E já impliquei muito com Marcos Veras, quando foi para o elenco da *Escolinha do Professor Raimundo*. Sempre o achei muito sério, nunca sorria. Mas é uma pessoa que admiro bastante também. Um dia cheguei para ele e disse: "Cara, é muito difícil fazer aquele personagem do Tom Cavalcante".

Sobre mim... Bem, creio ter certa facilidade para transmitir algumas mensagens para o público, mesmo sem texto. Me acho excelente ator de cinema mudo. Mas, quando há texto, tudo é o jeito de falar quando se está fazendo humor. Precisamos saber até onde estamos indo no personagem. Nada de constrangimento!

Quando vou ver uma peça de humor, eu não rio. Porque se eu rio, não ouço o que os atores estão falando. Quando estou no palco, acho cafona esperar a risada da plateia acabar para continuar meu trabalho, então, sigo o texto. O ator precisa dominar a plateia. Nesse momento, a plateia é uma criança que você conduz para onde quiser. É preciso coordenação. Minha atuação também está baseada na matemática, nas marcações. Isso é refrescante, uma brincadeira, eu me divirto. É como um contador de histórias: vai enfatizar um dado momento, dependendo do ouvinte, e dar destaque ao que ele quer contar.

O politicamente correto não é uma questão para mim, porque não encaro desse modo. Veja, alguma patrulha sempre existiu: seja por parte de crítica, dos espectadores ou dos profissionais que se envolvem conosco. É normal e faz parte do trabalho. O humor de verdade tem que andar na contramão: ele não é bonzinho, é debochado, irônico, cínico, fala o que a gente não tem coragem de falar na vida real. Esse é o verdadeiro humor, que traz uma visão muito fora da moral e dos bons costumes. O limite? Só não pode agredir ou constranger o outro. Porque, nesse caso, não é humor: é falta de educação.

Não tenho dificuldade nenhuma em fazer um papel sério. O humor em mim não está fora, está dentro. Acesso o humor quando preciso, no trabalho ou na vida. Meu senso de humor está mais pelo cinismo, pela ironia, ou pelo deboche introspectivo, do que pela palhaçada, pelo escorregão, pela comicidade em si, que havia em um cômico tipo Costinha, por exemplo, sabe?

Nunca ganhei prêmio, mas também não estou ligando muito para isso, porque já passou a época. Para ser sincero e, lembrando aqui, em 2004, ganhei o Prêmio Qualidade Brasil como melhor ator teatral no gênero comédia em *O caso da rua ao lado*. Esse prêmio é conferido mediante votação de artistas e críticos, mas é oferecido também a pessoas com outras profissões, como comerciante, médico, entre outros. Me senti honrado com este que é meu primeiro e único prêmio até hoje.

Depoimento de Gregório Duvivier

Sou fã do Luiz Fernando Guimarães desde criança. Ele era o meu preferido no *TV Pirata*. Mas pirei mesmo com ele foi em *Vida ao Vivo Show*. Acho que foi a primeira coisa que vi dele e mudou minha vida — ao vivo. A inteligência do texto unida à atuação que parecia improvisada: aquilo era revolucionário. Ele era o contraponto perfeito para o Pedro Cardoso, tipo yin e yang. Tenho pena de que não tenham feito mais coisas juntos. A energia do Pedro lá no alto, aquelas mãos gesticulando, e o Luiz Fernando plácido, um impávido colosso. Hoje em dia, seu estilo foi tão copiado, por mim, inclusive, que talvez as pessoas não deem os créditos. Mas o Luiz Fernando inventou um negócio. Em inglês, chamam de "deadpan". No Brasil, tem quem chame de "cara zero" ou "cara de peixe morto". Enfim, é quando o humorista faz rir sem nenhum trejeito, com o mínimo de expressões possível — muitas vezes, apenas com o silêncio. Os ingleses amam isso. E no Brasil não fazia muito sucesso. Tradicionalmente, preferimos o escracho. Mas o Luiz Fernando conseguiu tornar esse negócio muito popular. Porque o "deadpan" dele não é inglês. Tem essa economia nos gestos e expressões, mas com uma carioquice, uma malandragem de quem parece sempre que está segurando o riso.

Quando contracenei com ele, em *Como vencer na vida sem fazer força*, era muito difícil segurar o riso. Fiquei muito nervoso, mas ele me tranquilizou o tempo todo. Me dava muita força. Era difícil saber quando ele estava brincando. Porque me acostumei a rir dele por uma vida inteira. E descobri que ele está quase sempre falando sério. A graça dele, inclusive, vem disso. Ele quase não brinca. Ele tinha uma generosidade muito grande nas reações. Sabia alternar a posição e servir de escada quando necessário. Quando não estava fazendo piada, levantava a bola dos outros como ninguém.

Não que não seja um cara muito específico. Lembro de ele estar sempre ligado no termostato. Ele sempre sabia a temperatura que estava no ar: "Acho que deve estar no 22, será que dá pra baixar pra 21". E acho que tem a ver com uma sensibilidade muito grande a qualquer mudança no ambiente.

Ele em cena é um cara muito vivo. Tem muita escuta para os colegas e para a plateia. Usava muito a reação dos atores à sua volta: "Para tudo, olha essa carinha dele", dizia, ressaltando a expressão de um ator que estava em segundo plano. E até o final da temporada ia experimentando, improvisando, testando piadas. Nunca parava de inventar. Em tudo o que dava certo, ele investia. E também dá festas como ninguém. Sua casa no Jardim Botânico é uma delícia. E ele gostava muito de receber aquele elenco numeroso — éramos mais de vinte.

Parcerias

Pensando sobre mim e algumas parcerias, eu e Débora Bloch já somos uma junção animal! Sou enorme e Débora é pequenininha, já dá uma comédia!

Gosto muito de contracenar bem, é uma coisa que me faz muito feliz. Botar para fora meus sentimentos com aquela troca no palco foi algo que começou com a Débora, em *Fica comigo esta noite* (1990), dirigida por Jorge Fernando.

A gente estava planejando fazer algo juntos e buscávamos um texto para isso. Fui ver Marisa Orth e Carlos

Moreno em cartaz com o espetáculo em São Paulo. Era a última apresentação e pensei: é esse o texto!

Tinha uma piada interna, também. Como tem um momento da peça em que meu personagem fica morto em cena e existe um monólogo da personagem da Débora, eu falei para ela:

— Encontrei um modo bom de viver. Descobri que ficar deitado é uma forma de atuação.

Isso aconteceu pois, no *TV Pirata* (claro que terei um momento para falar só desse programa que marcou a TV e a minha carreira), que fazíamos juntos, ela era a Shirley e eu, seu amante, o Ricardão. E as cenas se passavam, claro, numa cama.

A cena em que ficava morto na cama, em *Fica comigo esta noite*, era longa. Na época dos ensaios, estava trabalhando com a Marília Pêra em outro projeto e ela me disse:

— Duvido que você fique vinte minutos parado naquela cama.

É claro que não fiquei vinte minutos. Fiquei quinze, tomando conta da Débora, que estava sozinha, em cena. Quando a gente se abraçava, tinha que dar para a plateia um tempo que não era real, que não era do teatro. Era de mentira, era um tempo em que ficávamos ali, até dar uma choradinha. Vou te falar: hoje em dia choro com facilidade, com qualquer coisa. Eu e a Débora, quando a gente se abraçava, sentíamos que aquele era um momento único, para usufruir e relaxar ali. Quando falo da emoção, digo que não fiz pesquisa para saber como é que vem o ataque do coração. Fui sutil, como sou. No abraço, parava o espetáculo. E não combinava com a Débora exatamente quando era esse momento. Cada dia eu fazia de uma forma diferente, para pegar a plateia de surpresa e, principalmente, a Débora. A peça ficou quase uma década em cartaz, se tornou o primeiro espetáculo teatral a ocupar o Canecão — que já foi a mais tradicional casa de shows do Rio de Janeiro.

Encontrar um diretor de um espetáculo teatral nunca acontece da mesma maneira. Uma peça teatral é muito diferente de uma novela. Na novela te chamam e, quando você vê, já está no meio do trabalho. Tem o primeiro, o segundo, o terceiro capítulo... E você não sabe se morre no quarto capítulo ou no quinto, se vira herói. É uma obra aberta. Para fazer a peça, dependendo da situação, você vai procurar texto junto com seus amigos.

Em *Fica comigo esta noite* foi mais demorado achar um diretor, porque no Asdrúbal tínhamos sempre o mesmo na função. Em *Drácula* (1988), por exemplo, Ary Fontoura me dirigiu. No elenco, tinha Lídia Brondi, Carvalhinho, Milton Carneiro e umas "draculettes". O Ary é uma força da natureza! A peça falava de Drácula, o amanhecer, uma madrugada. Em um momento, na coxia, Ary dizia para mim — nunca mais vou esquecer disso: "Luiz, quando amanhecer, vamos lá pro sítio?". Não respondi nada, pensei que era da peça. Mas Ary falou, de novo, assim: "Quando amanhecer vamos lá pro sítio, lá podemos fazer um churrasco". E isso ele me disse no meio da peça. Coisas de um diretor genial. Tenho muito carinho por ele.

Falando em carinho, Regina Casé me dirigiu em *Castiçais* (1995), um texto de Luiz Carlos Góes, com slides de Barrão. A trilha sonora foi feita por Alexandre Kassin. Interpreto Fernando Luiz, dublê de Luiz Fernando Guimarães, que é quem rouba a cena. Convidei Regina para ela dizer não e eu ficar livre, mas ela aceitou. Sempre tive uma relação afetiva com os diretores com quem trabalhei. Uma coisa de pensar juntos. Desta vez, quis que fosse mais junto ainda: um ator e uma atriz. Só depois do esqueleto pronto, começamos a ensaiar, cena por cena, ao contrário do que se costuma fazer em teatro. Fiquei um par de anos com essa peça viajando pelo Brasil.

Já na peça *O caso da rua ao lado* (2003), a direção foi do Alberto Renault. No musical *Como vencer na vida sem fazer força* (2013), foi Charles Möeller quem me convidou. E a peça *O impecável* (2016) foi assim: não crio muitas dificuldades em nada, mas fazer oito personagens na mesma peça é bem difícil! Meu trabalho foi bem na base do rascunho, não tenho a característica de acabamento de personagens. O público ficava muito atento em uma hora de espetáculo. A peça se passava em Copacabana e, ao viajar pelo Brasil, não adaptei para as regiões por um motivo: era um salão de cabeleireiros. E salão é salão em qualquer lugar do país. As pessoas se identificaram muito. A manicure era meio psicóloga e as clientes passavam horas lá, conversando. Fiz uma ótima turnê nacional com esse espetáculo, dirigido por Marcus Alvisi.

Em outras mídias, destaco minha primeira experiência no setor de dublagem, em 2003, quando dei voz ao alce Rutt, para a animação da Disney, *Irmão urso*. Quem fez a dublagem do alce Tuke foi o meu querido e ídolo Marco Nanini. Entrei também no mundo dos audiobooks e minha primeira narração foi a do livro *A revolução dos bichos*, que é um clássico moderno de sucesso mundial. Aliás, já li essa história para os meus filhos. Já o teatro digital, na pandemia, não me cativou. É válido, mas não fiz, não senti que era para mim.

Gosto de ser ator, mas poderia não gostar mais. Já estive insatisfeito várias vezes, hoje em dia estou com saudade. Acordo e durmo com essa saudade. Desenvolvi uma espiritualidade cênica, digamos assim. A gente brinca, porque o teatro é uma brincadeira, uma diversão, seja dor, seja humor. Seu trabalho é o seu sentimento, isso é uma coisa muito boa. Saio leve de uma sessão. Não aprendo de uma vez com uma obra, vou aprendendo, tirando proveito e, se aquilo realmente é bom, me sinto presente. Faz bem e fico conectado. Levo uma bagagem monstruosa de um trabalho para o outro.

Antes de estrear uma peça, faço muitos ensaios abertos, reúno alunos de teatro na minha casa, com o elenco e a produção. Nem sempre sabemos se estamos no caminho, então a opinião de fora é muito importante.

Depoimento de Patricya Travassos

"Ferdis", ou Luiz Fernando, ou Luiz, ou Fernando, ou Derbis — apelido que o Evandro Mesquita colocou em uma época que Luiz estava cheio de pereba e o Evandro quis brincar com isso. Uma das coisas que mais me cativava nele, desde a época do Asdrúbal, era sua simpatia. Um dom simpático de falar as coisas mais horrorosas e críticas, mas falava num tom tão legal que a pessoa não se chateava com ele, não dava problema nenhum. Comigo dava problema, porque meu tom era um pouco mais agressivo. Mas com Ferdis, não! Ele imprime essa simpatia em todos os personagens que interpreta. Na peça *Trate-me Leão*, ele fazia um personagem chamado Djamil, um cara folgadão que entrava na sua casa para passar uma tarde e ficava um mês, usava as roupas dos outros; era um cara expansivo e abusivo, mas a característica máxima do Djamil era a simpatia, ele ia conquistando todo mundo. Isso é uma coisa que Ferdis tem.

Se ele fizer um vilão, você vai achar o vilão legal. Essa característica que eu sempre gostei muito nele, e me impressiona essa capacidade de, nas situações mais dramáticas, ele falar a verdade sem machucar ninguém. Outra característica é a ansiedade galopante. Ferdis é ansioso na vida e na arte, sempre quicando. Além de suar muito: nos bastidores sempre tinha uma toalha pra ele se secar. Ele dá um *speed* nos personagens, na maneira de falar, de se movimentar e conduzir o personagem na história. Temos uma vivência de quando a gente tinha uns vinte e poucos anos, nossos pais eram vivos e as famílias estavam presentes nas estreias. Conhecer as famílias e os filhos dava um colorido maior na personalidade das pessoas. Todo mundo tem a ver com sua família. Eu nunca vou esquecer da Yara, a mãe do Luiz, porque ele tem muito a ver com ela. Quando ele faz personagens femininos a gente sempre vê a Yara.

5.
DRAMATURGIA E SEUS AFLUENTES: ME RENDENDO À TV

Meus amigos Jorge Fernando e Guel Arraes começaram na televisão antes de mim, mas sempre foram ligados ao teatro. Ambos começaram a me chamar para a televisão também. Só que, inicialmente, não quis. Não me achava pronto, acreditava que tinha que me estruturar um pouco mais antes, pensava mesmo que era um veículo sem amor, que o teatro que era quente, pois tinha plateia.

Não é que não quisesse fazer TV, é porque pensava que não era para mim. Achava frio. Acredito que todo ator que faz TV no começo pensa isso, pois, em relação ao teatro, é realmente mais frio. Mas quando existe uma equipe técnica que começa a rir por trás, penso: "Oba, tem um público aqui". Você sente a vibração do movimento. Desde então, na televisão, o cameraman sempre é o meu termômetro. Se ele boceja é porque a coisa não está indo bem. Evito perder tempo no set. Tenho sorte nesse aspecto, de o pessoal da técnica sempre gostar muito de mim. Isso me deixa mais seguro, mais à vontade para trabalhar. E, claro, não acho mais o que achava da televisão: fiz programas de TV do jeito que gostaria de ter feito e isso me aproximou muito dela como veículo para atuar. E me aproximou muito do público.

Participei do *Sítio do Pica Pau Amarelo*, em 1984, com Regina Casé — e a direção era do pai dela, o grande Geraldo Casé. No mesmo ano, participei de outro programa infantil com Regina Casé, Marília Pêra e Marco Nanini; foi a segunda edição do *Plunct, Plact, Zuuum...*, onde até cantar eu cantei. A música era "Deu bololô". Foi ao ar na Globo em 23 de março, na faixa conhecida na época como "Sexta Super", às 21h30. Tinha até um balé infantil, e desenvolvia um roteiro que abordava casos acontecidos em famílias de pais separados.

No meu início nas novelas, com *Vereda tropical* (1984) e, depois, com *Cambalacho* (1986), me senti meio, digamos, coagido. Fiz pela afetividade e amizade com o Jorginho e o Guel, os diretores. Na época, uma novela tinha menos personagens, não havia a quantidade de núcleos que existe hoje na teledramaturgia. Interpretei Miro em *Vereda tropical*, o assistente de Oliva (Walmor Chagas), que namorava Bina (Geórgia Gomide) — era um mundinho —, tinha também as três filhas de Oliva, vividas por Cristina Pereira, Maria Zilda e Marieta Severo.

Minha adaptação de ator de teatro para a TV foi mais tranquila; ao contrário do que poderia supor, não me senti em um mundo perdido. Tenho uma história engraçada de bastidores de *Vereda tropical*, minha primeira novela. Ganhei um dinheirinho e comprei uma garrafa de uísque — para imitar aqueles galãs de novela que, quando tinham algum problema, iam para casa, já abriam a garrafa e se serviam de um copo. Queria me sentir um Fagundes, um José Mayer. Ficava em casa, com aquele copo, fingindo atuar em uma cena. Só que não tinha trilha sonora, não tinha nada. Dava um vazio, era sensacional! Ninguém batia na porta, não acontecia nada, uma cena estranha. Eu ali fingindo para mim mesmo.

Já nos programas *Armação ilimitada* (1985) e *Juba & Lula* (1989), fiz uns seis episódios, todos com o Evandro Mesquita. Foi uma festa, no elenco estavam: Nara Gil, Jonas Torres, Andréa Beltrão, Kadu Moliterno e André de Biasi. Fiz uma dupla com Evandro, antagônica ao Juba e Lula. Os protagonistas eram muito "do bem" e nós, os caras "do mal". Essa foi a primeira vez que tive contato com um dublê, porque não sabia andar de moto, então usamos um dublê da minha altura, um cara mais desengonçado que eu.

Depois das primeiras novelas, preferi me voltar mais para o humor. Surgiu o *TV Pirata* (1988-90), de que vou falar mais daqui a pouco. Nunca senti qualquer censura na Globo em nada que fiz. Uma vez ou outra, um excesso genuíno que um diretor possa ter reparado aqui, outro ali, mas nunca foi censura. São mudanças estéticas. Sempre pude fazer exatamente o que quis com os personagens.

Tive sorte de ter feito programas ótimos, como o *Vida ao Vivo Show* (1998-9). *O Supersincero* (2006-10), o quadro para o *Fantástico*, por exemplo, foi uma catarse para mim, por meio do personagem Salgado. Procuro ser sincero, mesmo, então ele é o personagem que mais se parece comigo.

Eu sou uma série de 11 capítulos: a autobiografia 79

É o melhor personagem do mundo. Você fala horrores para a humanidade, só que de uma forma bem fofa, engraçada e até saudável.

O Supersincero exigiu muito de mim. Era eu comigo mesmo, fazia na brincadeira porque sentia que o personagem era eu mesmo. Comparando a divisão de cenas, não dividia ato com quase ninguém. Tinha muito texto, quase todo texto era eu quem falava. Salgado não parava em emprego nenhum porque dizia tudo na cara das pessoas. São os prós e os contras, né? Ser supersincero faz o mundo te odiar. Lembro desse personagem vendendo um carro na concessionária. Ele dizia para o cliente que não sabia nada sobre o carro, mas de forma tão normal que parecia natural não saber. Eu ia interpretando pela lógica, sempre coloquei uns "cacos". Coloco mais cacos na pontuação do que nas palavras em si. Leio muito, leio várias vezes e vou falando alto. Decoro desse jeito, tentando acertar, como se já estivesse na hora H. Acham: "Ah, você é muito espontâneo". Só que trabalho muito para chegar ali, naquele ponto. Já pensei que dá até para reeditar esse personagem um dia, mas, ao analisar bem *O Supersincero*, acredito que ele já tem seu tamanho, é melhor em pílulas, como ele era. Não gosto de esgotar o público. Dar 100% do personagem eu acho cafona, mas 90% é bom. O público precisa ficar com um gostinho de quero mais.

Lembro também das aventuras com a Regina Casé, desde nosso primeiro programa juntos, o *Programa Legal* (1992). Daniel Filho falou para levarmos uma câmera na mão, fazer em off, e deu supercerto. Em dupla, levamos a equipe da Globo e aquele momento foi realmente muito divertido. Terminei uma sessão da peça *Fica comigo esta noite* no shopping da Gávea, na Zona Sul do Rio, e tinha a gravação do primeiro episódio do *Programa Legal* em Olaria, para onde eu nunca tinha ido. A gente estava a fim de mostrar o que é legal em todos os lugares. Só que nem tudo que é legal em outros lugares é o mesmo que eu, pessoalmente, acho legal. Me deparei com essa diferença e a gente começa a entender, cada vez mais, as pessoas.

Regina sempre foi ligada às questões das comunidades, envolvida com o surgimento do funk carioca, então, é genuína qualquer relação dela com este tema. Estive em uns bailes funk nesse início para gravar o *Programa Legal*. A primeira vez que fui para Pilares era um desses bailes, cheguei e a Regina já devia estar gravando lá dentro e aproveitou que eu estava passando pela roleta. Aquilo tudo foi verdade: quando cheguei na roleta já tinha um câmera esperando, naturalmente. Foi quando vi um outro cara voando, literalmente, e falei: "Meu Deus do céu!". A briga é muito imediata, consome muita gente rapidamente, parece pólvora com fogo se alastrando. Ao mesmo tempo, tinha coisas muito bacanas lá. Essa era uma pegada mais da Regina do que minha, mas aprendi muito nessas gravações em que nós fazíamos de tudo.

Uma vez, estava fazendo o *Programa Legal* sobre a Argentina e, para interpretar um fã, fui atrás da Xuxa, que estava estouradaça com programa na tv de lá. Fiz essa entrada dançando um tango. A Xuxa era intocável, a Marlene Mattos, impaciente. E eu ali. Também, em ocasiões parecidas, já fui atrás do Roberto Carlos, do Julio Iglesias, uma loucura aquilo tudo. Pesquisava cada tema dos programas e me jogava, mesmo.

Outro dia, vi a Regina Casé no prêmio Melhores do Ano, da Globo, e chorei. Lembrei que não pretendíamos fazer novela, a gente não tinha ideia de nada. Nada foi planejado em nossas vidas. Se eu continuasse atendendo as pessoas na companhia de investimento e crédito em que trabalhei, no centro do Rio, também estaria lidando com o público. Aquele emprego deu uma cor em minha vida durante uma época. Coletava assinaturas, levava documentos... Por acaso alguém me pegou pela mão e falou: "Vem cá, faz esse personagem".

Minha nada mole vida (2006-7) foi um projeto maravilhoso. O roteiro não é meu, mas foi uma ideia que tive com o Alexandre Machado, que escreveu o programa junto com a Fernanda Young e a direção era de Alvarenga Jr. Foi pensado em cima do Amaury Jr. Um colunista eletrônico que cobre festas, com aquelas coisas dele de pegar no seu braço, de te agarrar. O personagem tem esse programa, "Jorge Horácio by Night", mora num apart-hotel e tem uma vida dupla. Um programa dentro do programa, e isso é uma coisa de metalinguagem que me agradou muito.

Gosto muito de representar, procurar a palavra mais cafona; adoro ser ator, com a possibilidade de transitar nesse universo e entre as pessoas. Lembro que falei para o Alexandre:

— Tudo bem eu falar que é meu programa?

Ele disse:

— Tudo ótimo!

E isso me dava uma satisfação muito grande. Você não é o dono, mas é como se fosse. Ficamos três temporadas no ar com *Minha nada mole vida*, entre 2006 e 2007, com muito sucesso. E o programa passava muito tarde, às onze horas da noite.

Saindo um pouco dos trabalhos que fiz, posso dizer que consigo interpretar animais e pássaros melhor do que humanos. Teve a famosa arara, inspirada na arara lá de trás, que criei no Asdrúbal. Fiz no *Jô Soares Onze e Meia* (SBT), em 1989, quando fui entrevistado, e acabou que a arara já virou uma garça. Foi um sucesso nacional, as pessoas me paravam na rua e pediam para eu imitar a garça (ou arara, você escolhe). Já interpretei leão, galo e muitos outros bichos. Isso tem a ver com aquele meu primeiro teste de teatro, certamente. No *Programa do Jô*, já na Globo, fui várias vezes e, numa delas, junto com a Fernanda Torres. Ensinamos a usar uma rolha para colocar a voz na embocadura do personagem. Acabou tudo virando uma piada enorme. Acho que a arara (ou a garça) e a rolha seriam, hoje, o que se chama de meme.

Depoimento de Jô Soares

Meu querido pássaro Luiz Fernando, pássaro das plumagens douradas. Olha, eu não tenho nem o que falar de você.

És um artista daqueles que fazem uma importância na vida das pessoas. Você é um grande artista, independentemente do grande ator que você é. Um artista extraordinário. Você toca o coração das pessoas e ainda faz com que elas riam. Em dias como os de hoje, esse dom que você tem é raro. Cada vez mais raro.

Flores. Ou não

Claro que nem tudo são flores. A série *Dicas de um sedutor* foi criada por Rosane Svartman, Ricardo Perroni e José Lavigne e foi ao ar de abril a junho de 2008. Interpretei o personagem Santiago Ortiz, um consultor sentimental que trabalhava dando conselhos para as pessoas conseguirem conquistar a pessoa amada ou melhorar seus relacionamentos em crise. Não me deu a satisfação profissional que imaginava.

Lembro também de meu encontro com Dercy Gonçalves, no especial de fim de ano da Globo que fiz com ela, *As mil e uma encarnações de Pompeu Loredo* (1985). A Dercy não me conhecia, tinha um mundo só dela. O Jorge Fernando, que nos dirigia, falou: "Paciência, Luiz, ela é assim mesmo". Lá fui eu, fazer o secretário da Dercy, sendo que ela nem olhava para mim direito. Atuou do jeito dela de sempre. Comentei com sua filha que íamos nos apresentar com o Asdrúbal, um último dia da peça *Trate-me Leão*, lá no Morro da Urca, e gostaria que a Dercy fosse nos ver. Fui pegar Dercy e a filha lá embaixo, subimos o bondinho juntos, as coloquei em um bom lugar. Assim que chegou, Dercy soltou:

— Puta que pariu, caralho! Porra! Público pra cacete.

Assistiu à peça e, depois, foi comentar comigo:

— Caralho, mas tu é bom, hein, porra!

A TV, durante muito tempo, passou a ocupar um grande espaço em minha vida. Mas, quando fui ao programa do Ronnie Von, na TV Gazeta, em 2016, ele falou que sentia minha falta na TV. Me toquei que fiquei um tempo afastado mesmo. Não foi forçado, foi natural. O último programa até então era o *Acredita na peruca* (2015), com a Fernanda Nobre; foi empatia mesmo, nos conectamos bem. Este elenco era muito bom, pena que o programa não deu muito certo. Foi um teste do Multishow, que não é TV aberta. O canal queria começar a fazer programas humorísticos de auditório e nunca tinha feito dessa forma, foi uma experiência incrível. Esse tipo de programa existe em excesso atualmente. Gravar com plateia não é fácil. Já tinha avisado à produção que não podia seguir por muito tempo, queria retomar o teatro. Participei com a equipe de criação, não era só ir lá e representar, foi um projeto que tomou muito do meu tempo.

O contrato fixo com a Globo acabou em 2016 e segui cuidando de outras coisas. Contratos assim, naturalmente, desgastam, é um vínculo, e perdemos a força para novos projetos. É melhor ficar livre e decidir a cada trabalho.

Isso que me ajuda a permanecer fiel a mim e aos personagens que acho que vão funcionar, sempre com base na minha intuição artística. E sempre terei projetos e a porta aberta na emissora.

Por exemplo, após *Cordel encantado* (2011), resolvi mesmo parar com as novelas por um período. Fiquei sete anos sem fazer, até ser chamado para *O tempo não para* (2018). Aceitei por intuição e adorei a história, que tem uma cara de seriado. Fiz o vilão solitário Amadeu Barone, de 85 anos, portador de uma doença incurável, que gostaria de doar sua fortuna. Claro, tinha alguma coisa de humor.

Vou falar, agora, de uma coisa chata e uma coisa boa de se fazer TV. A chata: tem diretor que acha que o ator já é problemático por si só — e lida com você partindo dessa premissa. Não pensa que o ator pode ser normal, estudioso... ou simplesmente um ator. Esse tipo de diretor já chega num canto, falando baixo, algo psicológico e espiritual, quase místico, como se fosse te contar um segredo. Não acredito nessa tática, acho chatíssima. Esses assim chegam antes de você gravar, tocam em você, no seu ombro, e falam: "Assim...", querendo te ensinar. Isso é a morte! Principalmente diretores de comerciais, da publicidade. Não sei fingir que sou espontâneo. Ou sou espontâneo ou não sou. O tempo que eu perdia com esses diretores, nesses casos, já me desgastava.

A boa: minha sorte foi encontrar pelo caminho pessoas que nunca imaginei que poderiam entrar em contato comigo algum dia. É outro mundo, não é? A Cássia Kis, por exemplo. Tenho uma admiração por ela como pessoa; para mim, ela é um ser de outro planeta, a ser descoberto ainda. O Fausto Silva também, sempre incrível comigo, desde o tempo em que participei do Jogo da Velha (antigo quadro do *Domingão do Faustão*, no fim dos anos 1980 e início dos 1990). Mais recentemente, fui ao *Faustão na Band*, e gostei muito de rever meu amigo. Agora vejo todos os dias o programa dele, de segunda a sexta-feira.

E, sim, fico feliz quando o público mais novo reconhece trabalhos antigos, como *O Supersincero* ou *Os Normais*. Só não fico eufórico. Não é bom ficar assim, porque eu sou o produto. Se ficar desse jeito, perco minha essência. Não quero alcançar nada, quero apenas fazer meu trabalho. O que vou alcançar vem depois. Claro que vou fazer o teatro esperando que as pessoas compareçam, mas penso mais nos meus amigos, em quem está próximo. É não tentar o inatingível, não dá para partir esperando reconhecimento, sucesso estrondoso e loucura. Senão fica aquele fantasma de algo que poderia ter sido bom e não foi por causa de uma expectativa.

Depoimento de Faustão

Talento e versatilidade. Seja no mundo da publicidade, da televisão ou do teatro, todo mundo sabe a respeito do Luiz

Fernando Guimarães. O que poucas pessoas sabem é que ele superou a timidez e, muito mais do que isso, impôs pela sua personalidade um estilo de vida muito raro nos tempos de hoje. De curtir a profissão, fazer amigos e ter uma vacina contra a vaidade excessiva. De não se perder em nenhum momento. Ele nunca "se achou" mais do que ninguém, e esse tipo de comportamento no mundo de hoje, onde todo mundo é julgado, onde todo mundo quer estar com o estilingue tentando dar pedrada no outro, é uma raridade. É isso que eu admiro nele, e só quem tem uma certa proximidade e a chance de conviver mais privadamente com o Luiz Fernando percebe que ele é infinitamente superior como ser humano e o artista extraordinário que ele sempre foi e será.

Piratas

O estranhamento que eu tinha com a TV durou pouco. Logo que cheguei, já me sentia em casa, cercado de amigos, de gente que se sentia inadequada como eu. Pessoas que escreviam na hora, ali, alteravam textos e usavam muito da intuição e da percepção para criar. E isso foi incrível. Me senti à vontade para experimentar e ousar. Se o *TV Pirata* (1988-92) até hoje é tão elogiado, tão espontâneo, é graças a essa dinâmica que imprimimos entre nós naquela época, ali, dentro da Globo. Um humor sem filtro, subversivo, na maior emissora do país.

Agradeço muito ao *TV Pirata* por meu primeiro galã. Era magro, parecia uma girafa, nunca achei que conseguiria interpretar um galã de novela, daqueles de verdade. Então, o Reginaldo, personagem da novela *Fogo no rabo* (paródia da novela *Roda de fogo*), foi quem me deu essa oportunidade. Os roteiristas também foram ótimos, time formado pelo pessoal das revistas *Casseta Popular* e *Planeta Diário* (que depois se juntaram). Laerte, Pedro Cardoso, Luis Fernando Verissimo, entre outros.

Os atores vinham do teatro, ninguém tinha técnica de televisão, então ficou histriônico. Mostrou uma televisão debochando da própria televisão. Imitávamos Leda Nagle, Sérgio Chapelin e tudo o que aparecesse. As gravações foram no estúdio do Renato Aragão, na Barra da Tijuca, no Rio.

Na época do *TV Pirata*, na vida pessoal, passei por uma barra pesada. Era 1988 e eu estava fazendo também *O reverso da psicanálise* no teatro. Eu acordei uma manhã, no meu apartamento da Bartolomeu Mitre, ia cortar o cabelo, olhei no espelho e vi meu olho de maneira diferente. A parte branca dele estava enorme, não sei explicar bem, mas dava um jeito de doente. Pensei: "Tô com aids".

Liguei para o Ney:

— Ney, você pode vir até aqui em casa?

Ele foi.

— Ney, olha para mim. Tô doente. Acho que tô com aids.

Ney olhou pra minha cara e disse:

— Você tá com hepatite.

Foi um alívio. O HIV, como eu já disse, na época era uma sentença de morte. Pensei: "Que bom que é hepatite". Tive que parar a peça e a TV por 45 dias. Fiquei em casa com um produtor e amigo, Vitor, que cuidou de mim.

Na época, tinha uma lenda de que comer suspiro ajudava a curar a hepatite. E eu falei: "Não vou comer isso de jeito nenhum". Diziam que a clara do ovo ajudava e o suspiro é feito de clara e açúcar. Acabei fazendo um tipo de mexido, só com clara e temperos, e comia aquilo. Eu e Vitor filmamos minha hepatite. Fiquei completamente amarelo. E eu enxergava a parede branca, por exemplo, amarela! Era uma experiência alucinógena. Então, o Vitor me filmava. Tenho essas fitas por aqui até hoje.

Melhorei e pude voltar ao *TV Pirata*, que foi uma escola maravilhosa. Historicamente, esse programa teve mais influência e abriu mais caminhos que *Os Normais*. Ninguém tinha feito aquilo antes.

Depoimento de Maria Zilda

Atuei com Luiz em *Vereda tropical*, fazia a filha do Walmor Chagas. Fizemos uma viagem juntos, fomos para França, Itália e Londres. E, quando a gente viaja junto com alguém, troca-se muita energia, é uma convivência muito íntima e, longe de casa, a gente fica 24 horas com a pessoa, aprende a ceder para fazer o que o outro quer. Portanto, é uma experiência que revela muito das pessoas. E Luiz é uma pessoa muito engraçada! Ficamos amigos muito rápido. Viajamos eu, ele, Marcus Alvisi e Jorge Fernando — e nenhum dos três falava língua nenhuma, eu que via os tickets de teatro, pagamentos de restaurantes, tudo era eu para fazer. Aí eles me chamavam pelas ruas, em alto e bom som, de "mamy". Eu ficava com uma cara de idiota. Era hilário, mas era natural que eu falasse por eles, né? Assim fomos.

Quando chegamos em Londres já estava muito tarde, e nós estávamos mortos de fome. Não atinamos que não tinha nada para vender no trem. Então, Luiz ficou de olho grande no sanduíche de um moço ao nosso lado. Quando a gente chegou, só tinha um lugar aberto e disseram para a gente que era um after hours, "lugar de artista". Então a gente riu e foi, e quem estava lá? O elenco do musical *Cats* — olha isso? Jorge Fernando, Luiz, todos ficaram loucos e pediram para a mamy fazer contato. Aí fui lá e falei com eles, disse que éramos atores e tínhamos visto *Cats* em Nova York; acabaram nos convidando pra ver lá em Londres também. Fiz a ponte, mas todos estavam se comunicando. Fomos muito cúmplices e o que nós temos de lembrança e afeto não acaba nunca. Luiz é adorável, bem-humorado, divertido sempre. Quero muito bem a ele e para sempre.

Ainda em Londres achamos um hotelzinho, Cottage, e, ao lado, tinha uma vila com dez casas. Então, ficamos por um tempo no hotel e depois eu reservei uma casinha dessas; ficávamos dois em cada quarto. Jorge Fernando dormia de olho aberto, achava aquilo louco. Quase tive um piripaque, mas ele estava dormindo. Uma vez a gente ia tomar café, e ele resolveu ir ao Hyde Park, que ele chamava de Raio do Parque. Mas ele não queria que a gente fosse, resolvemos ir dar um flagra nele. Estava ele rodeado de uma turma, todos gargalhando, aí eu pensei "Filho da puta". Achamos que era uma turma de brasileiros, mas eram todos ingleses. Eles conversavam usando mímica. Luiz dizia que, para se comunicar, não precisa falar língua nenhuma. Ele era assim! Uma vez interfonaram para o nosso quarto informando que a Rainha estava passando, a gente foi correndo, a porta bateu, a gente sem a chave, Jorge Fernando só de cueca de patinhos; ficamos os quatro em pé na rua e passou a carruagem da Rainha, mas era só o desfile sem rainha nenhuma. Era apenas um cortejo da Rainha.

Olha, foram muitas histórias. Fizemos uma minissérie chamada *Decadência* para a Globo e gravávamos à noite, em Petrópolis, de seis da tarde até amanhecer. Nós vivíamos um par de cambalacheiros e a história era inspirada na saga do Collor e da Rosane Collor. Então a gente voltava para o Rio seis da manhã, ficávamos batendo texto, ele contribuiu muito. Enfim, foram histórias engraçadíssimas!

Normais?

Os Normais é a história de um casal em conflito, que nunca teve paz. O Alexandre Machado me chamou para o projeto, eu tinha voltado da viagem à África, com a Nanda [Torres], estava cheio de fotos da gente juntos. Comentei que já tinha a atriz, mesmo a Globo querendo sugerir outras; enchi o cenário de fotos minhas e da Nanda e disse que só com ela que eu faria aquilo. Não havia como não ser ela.

Hoje a Nanda me agradece muito, mas a verdade é que ela veio a dar à série uma credibilidade, já que o texto não seguia muito o padrão da emissora. Isso não foi pensado, com o tempo fui tendo esse raciocínio mais claro. Nanda veio com o jeito dela de desenho animado, extremamente juvenil, além de ser uma atriz profunda. Magra, veio na contramão do padrão das supostas gostosas, acabou se tornando desejada, cortejada como a Vani. Nossa vantagem era a de conhecer todo o elenco da Globo, sempre foram quatro atores em cena, nós e mais dois, pois sempre chamávamos dois colegas queridos. Descobrimos que as pessoas viam *Os Normais* para, finalmente, depois ir para a noitada. Passava na TV em uma faixa de horário mais tarde, sempre tinha a impressão de que ninguém estava vendo.

A personagem da Nanda, no início, se chamava Vanise. Achei o nome horroroso. Daí, o Alexandre Machado e a Fernanda Young, primorosos no texto e na criação, aprovaram e disseram: "Vamos nessa dica do Luiz Fernando, por que ele sabe o que quer".

Como a Nanda não é de fazer comédia e eu sou, a simbiose foi boa, não deu outra: já no primeiro programa funcionou superbem. Pedi passagem e hotel lá na Globo e fui visitar Alexandre e Fernanda, que viviam em São Paulo, e conversamos muito. Alexandre e Fernanda sempre escreveram maravilhosamente bem e não eram textos enormes. Por me conhecerem, escreviam muito para a minha embocadura. Eu e a Nanda passávamos o texto na hora, uma, duas, três vezes e os erros também viraram lucro: se transformaram em um DVD com os bastidores da série.

Nas gravações, foi muito importante surpreender a Nanda; e ela, a mim. O cenário sempre foi a casa do Rui, Vani era muito bagunceira, deixava as calcinhas penduradas no banheiro dele, um executivo mediano e organizado. Paulo Betti fez um colega do Rui que "deu certo na vida", enquanto o Rui não emplacava. Por dentro, Rui não o suportava. O cara fumava charuto, Rui imitava, tossia. O personagem do Paulo Betti chegou a fazer umas sete participações. O pai do Rui foi vivido pelo Jorge Dória, já a mãe quem fez foi a Eva Wilma.

Alexandre e Fernanda escreviam para que fosse algo livre e colaborativo. Aí ajustávamos tudo juntos, todos nós. Vejo umas cenas, às vezes, que nem lembrava que tinha feito. Trabalhava tanto que teve um momento em que não conseguia mais acompanhar na TV.

O sucesso de *Os Normais* deve-se ao fato de que Rui é o estereótipo do homem-boi, aquele que quer ficar o tempo inteiro quieto no seu canto, ler jornal, ver o futebol. Enquanto Vani, não. Essa quer sair por aí, borboleteando, fazendo trezentas coisas ao mesmo tempo, chamando a atenção. Uma fórmula com a qual o espectador se identificou muito.

E se identificavam com muita coisa como, por exemplo, quando as pessoas falam grudadas, umas nas outras, como fazíamos em *Os Normais*. Tenho muita intimidade com a Nanda, e vice-versa, o que aconteceu entre nós nas gravações foi o que tornou *Os Normais* a coisa mais normal do mundo.

Gravávamos muito, duas vezes por semana, cerca de cinquenta cenas por dia. Foi por isso que a série deu tão certo. Independentemente de ser um casal, Rui e Vani eram muito amigos e se encontravam em situações, às vezes, que não davam certo para nenhum dos dois. Viviam na ginástica o tempo todo, sempre tinham umas surubas e muitas cenas dos personagens pelados.

Em 2017 fui ao *Programa do Porchat*, na Record TV, e contei para ele que vi aquela primeira aparição dele na TV, porque ele foi ao *Jô Soares Onze e Meia* imitar *Os Normais*. Sim, isso mesmo. Porchat imitava os dois personagens, o Rui e a Vani, ao mesmo tempo. Achei aquilo uma loucura! Ele é fã mesmo! E já contou publicamente, várias vezes, que se mudou de São Paulo para o Rio, na intenção de se profissionalizar como ator, quando foi assistir a uma gravação nossa.

Voltando ao programa dele, perguntei se ele era mesmo o cara que tinha feito a paródia da gente no Jô e ele disse que sim. Pedi para ele imitar ali para mim, ao vivo, coitado! Uma puta sacanagem. Afinal, deixei o menino tímido. Porchat fez, foi ótimo. Ele assistiu tanto a *Os Normais* que pegou o ritmo da escrita. Topei interpretar o Rui, ele fez a Vani, e refizemos a cena.

Os Normais foi um trabalho de galera, tinha contrarregra, cenógrafo, figurinista, todos muito unidos, sabe? Stella Valadão chorava, a mais emotiva do grupo, e o Alvarenga Jr. tem uma coisa, emana um astral muito legal e é feliz com a vida. Também tinha Claudinho Soares, Cláudio Fonseca, enfim, era uma turma enorme.

Os longas-metragens foram com a mesma turma da TV. Alguém falou assim:

— Agora vocês vão para o cinema!

Falei:

— A gente não pode carregar esse peso! Temos que fazer igual ao programa.

Conversamos muito sobre isso para o filme ter a mesma leveza, a mesma carga de erro de gravação, de risadas no meio da cena, de incorporar o personagem etc. Deu certo. Foi fundamental, para dar uma continuidade mesmo. Senão, a pessoa ia ver *Os Normais* no cinema e achar: "Pô, estranho. Ficaram sérios". Isso foi uma coisa muito batalhada entre nós.

No final, essa série gerou um texto fixo. O Alexandre dizia:

— Vai nessa, Luiz. Vai nessa, Nanda!

A gente se esbaldava.

O "decorar" não existia. Eu lia com a Nanda, ninguém lia em casa e se comprometia a não ler antes. Decorávamos na hora, tinha aquela coisa de um falar por cima do outro. Aliás, acho que isso é uma das coisas mais legais de *Os Normais,* que definimos muito bem como estilo — e que também caiu bem aos olhos do espectador. Existe a possibilidade de um terceiro filme, o roteiro já está pronto. Por conta da covid-19, tudo está sendo replanejado.

Depoimento de Alexandre Machado

Comecei em propaganda e o meu sonho dourado, por muitos anos, era escrever alguma coisa com o Luiz. Era o sonho de todo redator de publicidade, aliás, porque toda uma geração foi marcada pela campanha da Caixa Econômica que ele protagonizou com absolutos brilhantismo e genuinidade.

Imaginem, então, quando o Guel Arraes me encomendou uma sitcom centrada no Luiz? Foi ele, inclusive, quem sugeriu a Fernanda Torres como parceira de cena. Não preciso dizer, então, o quanto o Luiz mudou minha vida. Fizemos tantas coisas boas juntos que minha voz, hoje, se mistura com a dele. Simplesmente o maior ator comediante que o Brasil já teve. Inventou uma maneira de dizer os textos que mudou o modo como se faz humor no Brasil. Tenho muito orgulho em ter participado dessa carreira absolutamente bem-sucedida. E, além de tudo, ele é uma pessoa extremamente carinhosa e generosa. Realmente, e não estou exagerando, não sei o que seria da minha vida sem o Luiz. Todo o amor do mundo para ele e sua adorável família.

6.
EU COMIGO MESMO: PARTE 1

No começo da carreira fui a uma numeróloga que achava que eu deveria mudar o nome pra Luiz Fernando "de" Guimarães, algo como o que a Sandra Sá fez e virou Sandra "de" Sá. No meu caso, achei a sugestão um horror. Agora não dá mais para saber se a influência ia ser boa ou ruim.

Acredito na força das palavras, na energia. Não tenho religião, mas acredito no invisível, em algo maior. Acho as imagens bonitas, mas não as cultuo. Sou aquele brasileiro que vai pegando um pouco de cada e mistura tudo. Mas, dentre todas as religiões, a espírita é a que mais bate forte em mim.

Tenho cachorro, plantas, acho as crianças o máximo e tudo isso também é energia — diferente da religiosa, mas é. E nos faz muito bem.

A leveza está dentro da gente, não está no outro. E olha, preciso confessar: tenho pavor de esperar. Faça tudo comigo, mas não me deixe esperando. Não sou pessimista, mas sim, realista. Então, acho até que para me preparar, sempre penso no pior que pode acontecer. E, na minha cabeça, eu já traço planos para sobreviver à tormenta que ainda nem chegou — e que, provavelmente, nem vai chegar.

O início de minha carreira foi muito marcado por esse lado catastrófico quando pensava, por exemplo, que nunca seria reconhecido como ator. Ou na primeira vez que fui a São Paulo e que não estava hospedado em nenhum flat, mas na casa de um amigo. Só tinha uma chave que, naturalmente, ficava com ele. Quando voltei uma noite, meu amigo estava demorando a chegar, desci para a praça Roosevelt, onde ele morava, na região central da cidade, me sentei num banquinho e comecei a planejar o pior cenário: de nem ter onde ficar. Fui ao motel ali da frente perguntar quanto custava a diária, para sondar se tinha dinheiro para pagar. Estava sem dinheiro... Será que teria que fazer um programa? Não, não teria essa coragem. Será que dormiria no banquinho da praça, mesmo? Comecei a pensar em mil possibilidades para viver aquela situação. Por fim, meu amigo apareceu.

Sou carioca e adoro Belo Horizonte. Gosto daquela cidade, do sotaque mineiro. Me sinto em casa. O povo mineiro ama o teatro, e quem ama o teatro já tem meu amor. Eu recebo muito carinho do público.

Nunca nenhum fã ficou me importunando, não. Normalmente são tranquilos, pedem foto, autógrafos, me elogiam. Gosto disso e nunca tive problemas. Vez ou outra tem um agarrão. Uma vez, aconteceu isso lá no samba, em um ensaio da Portela, a que gosto de ir. O "te puxar" que é louco né?

Embora não seja algo que demonstre que a pessoa é ruim, ou invasiva, nem nada disso. Eu entendo que é o momento, o fã fica excitadíssimo porque viu uma celebridade e quer te pegar e te abraçar. E, no samba, não me contento em ficar só na frisa, quero descer! É coisa do sagitariano isso. E foi quando aconteceram uns agarrões. Mas não foi nada demais.

Em um destes carnavais, nós estávamos em Salvador, no trio da Margareth Menezes. Desci chapado, tinha bebido todas, mas estava fantasiado e quase ninguém me reconheceu. Voltei à "máscara" do Asdrúbal. Adriano estava morando nos arredores da Bahia, eu vivia lá, a gente já até procurava um terreno para fazer um hostel. Eu bebia vodca com energético. Hoje em dia, jamais!

Já tomei muito ansiolítico, ficava pleno, não vejo problema nenhum nisso. Rivotril não dá, mas confesso que gosto de ansiolítico. E todo mundo fala de comprimidos. E, sim, eu sei que tomamos remédios por causa dos problemas criados pelas pessoas e pela própria indústria farmacêutica. A única questão é a gente ficar querendo fugir, sempre. Usei muito ansiolítico para fazer comercial ou peça, no começo da carreira. Para fugir do nervosismo. Já a maconha me dá sono, não sou muito interessado nela.

Sempre tive muitos sonhos quando criança. E tenho dois pesadelos, que começaram na adolescência e que me acompanham até hoje:

1 — que alguém precisa de socorro e eu não sei dirigir;

2 — que me colocam como goleiro na final de uma Copa do Mundo.

Acho que tenho cara de cachorro. Já em uma entrevista de rádio, disseram que eu tenho uma cara de "Woody Allen do Catete". Por me achar inadequado para o planeta, jamais imaginaria que iria encarar plateias enormes e ser tão cara de pau quanto sou na vida artística, porque na vida pessoal não sou assim, não.

A minha profissão me ajudou, aprendi a me expressar melhor. E atuar é uma diversão. Até hoje me divirto muito fazendo todos os personagens. Não sou um ator técnico, então, sempre acreditei que o meu bem-estar, minha disposição física, mental e espiritual iria passar por aquilo ali, e eu estava certo. Foi justamente quando abracei todas as minhas inadequações é que as pessoas começaram a me achar interessante.

Depoimento de Marco Nanini

Conheci o Luiz Fernando no palco do *Trate-me Leão*, do Asdrúbal, um espetáculo que marcou uma época e toda uma geração. Ele fazia uma dupla incrível com a Regina Casé, que eu já conhecia. Logo vi como ele era talentoso.

Depois nos encontramos profissionalmente no *TV Pirata*. Lembro muito de quando fazíamos aquele quadro dos super-heróis, que era um sucesso e a gente amava fazer. Gravamos na Globo, no Teatro Fênix, no Jardim Botânico, e depois no estúdio do Renato Aragão. Esse quadro dos super-heróis reunia todo o elenco masculino e a Claudia Raia, que fazia a Mulher-Maravilha. A gravação dele ficava sempre para o final, era o último a ser gravado, e o Luiz nos divertia muito na espera, com aquele seu humor de sempre. É uma memória que ficou.

E continuei acompanhando e assistindo aos trabalhos do Luiz no teatro e na TV. Nos anos 1980 e 1990, nós dividimos uma época de intenso movimento teatral, com aqueles atores todos da nossa geração em espetáculos muito fortes e de sucesso em cartaz. Volta e meia, as temporadas em São Paulo coincidiam. Eu, Ney Latorraca, Débora Bloch, Luiz Fernando, Regina Casé, Claudia Raia, Aracy Balabanian, Diogo Vilela e Louise Cardoso formamos uma turma que teve espetáculos de muito sucesso em cartaz ao mesmo tempo. Ficava uma espécie de "república teatral" em São Paulo e costumávamos nos frequentar muito. Nessa época, o Luiz Fernando fez o *Fica comigo esta noite* com a Débora Bloch, era um trabalho muito bonito.

Luiz é um amigo querido, nos vemos nos aniversários e nas estreias. Apesar de eu não ter rede social, de vez em quando eu bisbilhoto as redes dos amigos e fico feliz quando vejo a linda família que o Luiz constituiu.

7.
DRAMATURGIA E SEUS AFLUENTES: CINEMA E COMERCIAL

Tive muitas alegrias na telona também. Em *O Ibraim do suburbio*, de 1976, vivi o personagem Xanduco e fui dirigido por Astolfo Araújo e Cecil Thiré. O elenco trazia nomes como José Lewgoy, que interpretava um cara que sonhava em ser colunista social famoso e se chamava Casemiro de Abreu. Quando descobre a gravidez da filha, vivida pela atriz Lucélia Santos, apressa seu casamento com o jovem Xanduco — meu personagem — e tenta comprar a secretária do colunista Ibrahim Sued para publicar uma nota sobre a cerimônia em sua coluna.

No filme *Tudo bem* (1978), de Arnaldo Jabor, interpretei o Zé Roberto, filho da personagem de Fernanda Montenegro (Elvira). O longa-metragem foi todo filmado em um apartamento de Copacabana, que tinha um negócio de vodu. Ele pertencia a uma pessoa muito famosa, da alta sociedade, e foi cedido para nossas filmagens. Paulo Gracindo fez o papel de meu pai, que se chamava Juarez. Tive muitas cenas com a Fernandona. É um filme contemporâneo, ao mesmo tempo atemporal, é incrível. Mostra a diferença de classes sociais, todas convivendo sobre o mesmo teto. Ganhou alguns prêmios. Jabor foi muito confundido comigo na rua, ele me contava que ficava dizendo que era meu irmão.

Todos os diretores e produtores que chamavam a Regina Casé acabavam me chamando também. Éramos Cosme & Damião do cinema nacional. Em *Os sete gatinhos* (1980), de Neville D'Almeida, fiz uma participação puramente afetiva como vendedor de uma loja de discos, só porque a Regina pediu ao Neville. A gente estava muito junto, colado. Por isso resolvi participar daquela cena em que Regina pergunta: "Como é que você sabe que meu nome é Arlete?". A Scarlet Moon, que fez a seleção de elenco, acabou me convencendo de fazer essa aparição.

Também participei do filme, dividido em três episódios, *Teu Tua*, de Domingos de Oliveira, lançado em 1977. Participo do episódio *O corno imaginário*. É a história do pai de Celinha (Louise Cardoso), que pretende que a filha se case com um milionário. Após várias confusões, é desfeito o equívoco, os pares se reconciliam e Celinha se livra do noivo rico.

Engraçadinha, filme de 1981, estrelado pela Lucélia Santos, foi dirigido por Haroldo Marinho Barbosa. Nele, interpreto o personagem Silvio, primo da protagonista, e por quem ela é apaixonada. Logo após o enterro de um conceituado cidadão que cometeu suicídio, Arnaldo (José Lewgoy) é questionado sobre o motivo da tragédia. Como existia a suspeita de que o rapaz era amante da sua filha, um padre vai conversar com a menina. Mas a realidade é que Engraçadinha tinha se apaixonado por seu primo, e na verdade este era seu meio-irmão, fruto de uma relação extraconjugal. Lewgoy reclamava de tudo o tempo todo, parecia o próprio Nelson Rodrigues, mas adorava ouvi-lo. Também convivi muito com a Lucélia Santos, mas Nelson Rodrigues eu não cheguei a conhecer.

Em 1983, fiz o *Bar Esperança*, que via alguma coisa do *Tudo bem* nele. Cada um foi filmado de um jeito, mas os dois foram em um local fechado. Um em um bar, o outro em um apartamento. Em *Bar Esperança*, interpretei um personagem chamado Tuca. A locação foi em um bar ali, no Campo de São Cristóvão, no Rio, e filmamos com um elenco maravilhoso. Hugo Carvana, Marília Pêra, Antônio Pedro, Louise Cardoso, Anselmo Vasconcelos, Denise Bandeira, entre outros. A gente ficava bebendo. Silvia Bandeira também estava no elenco, a personagem dela (Cotinha) ficava pelada, em cima da mesa. Foi bom estar ali; o filme passa uma impressão de boemia, mas o que rolou foi muita energia. Hugo Carvana, diretor e roteirista, era um cara muito especial. Assim como Arnaldo Jabor. Pessoas que emanavam algo diferente. Eu e minha galera fomos atores que tivemos a sorte de atuar com diretores que jogavam uma energia para o trabalho que nos deixava completamente à vontade.

Já o filme *Areias escaldantes*, de 1985, foi escrito e dirigido por Francisco de Paula. Estiveram lá com a gente Regina Casé, Diogo Vilela e Cristina Aché, mas, como era um musical, ainda teve a participação da primeira geração do Rock Brasil: Titãs, Ultraje a Rigor e Lobão. Não me lembro de ter visto o filme finalizado, mas ele existe, vi a chamada no Canal Brasil. Vou procurar, inclusive, porque gosto de ver. Muito gentil o diretor Francisco de Paula. Não sei se ele produziu outros filmes depois, esse basicamente foi todo filmado no Cais do Porto, dentro do navio. Eu fiz um dos terroristas.

Brás Cubas, de 1985, foi dirigido pelo Julio Bressane e é bem experimental. Fui o protagonista do filme. Já morto, Brás Cubas relembra sua agitada e medíocre vida burguesa e suas lembranças mais importantes são relacionadas à Virgília, mulher casada, com quem teve um tórrido romance. Perguntei muito ao Julio: "Você não pode ser mais claro? Do jeito que você filma, não tô entendendo o que estou fazendo!". Apesar de diretor, Julio também foi o câmera. E disse: "É uma visão de cinema diferente".

Adoro o Julio, tinha alegria no trabalho, facilidade ao lidar. É um filme que se passa em um sonho, sob uma lente de névoa. Ele foi muito feliz com seu fazer artístico e rápido na lógica pessoal. Já fui dirigido também pela sua filha, Tande Bressane, que me perguntou:

— Como é que você aguentou meu pai?

Aguentei, sim, porque Julio Bressane contagiava positivamente a todos da produção. O filme é uma adaptação livre, a cara dele, a partir da obra literária *Memórias Póstumas de Brás Cubas,* clássico de Machado de Assis. Para mim foi uma experiência incrível. Imagina um elenco que misturou eu, Regina Casé, Thelma Reston, Ankito, Laura de Vison,

Colé Santana, Maria Gladys e Dedé Veloso? Pois é. Esse filme conseguiu, sem perder o experimentalismo do Bressane.

O grande mentecapto (1986) foi um filme de Oswaldo Caldeira em que meus companheiros me levaram para o elenco. Mais precisamente, Diogo Vilela. São ótimas as lembranças, inclusive filmando em Belo Horizonte. Diogo estava eufórico saindo do aeroporto comigo. Nem tive tempo para explicar qual era meu personagem para o Osmar Prado — que também estava no elenco com a gente. Diogo queria fazer um estágio que, para mim, foi muito intenso, já que fomos, realmente, no hospício. (Anos depois, a Glórinha Pires fez o filme sobre a Nise da Silveira.) Diogo foi o mentecapto. Hilário! O Diogo, com aquela barba postiça, no meio de um calor da porra! Não fui ao hospício para estudar, fui porque aquilo era um pânico para mim, outro mundo. Realmente, só senti quando cheguei lá. Falei: "Meu Deus do céu, não é possível". É o que acho sobre o sistema carcerário, também. Quando a pessoa é presa, tem que ter um curso de vida, um planejamento, não pode prender alguém e não dar nada para ela. Do contrário, o preso sai dali pior, um ninguém. A sociedade é muito recalcada, a pessoa comete um delito e não querem melhorar a vida dela, só piora. Uma coisa tão fácil de se perceber, não acha?

Para você ver como é a vida: fui fazer o filme *O que é isso, companheiro?* (1997) e interpretei o Marcão. O motorista do carro do sequestro. Foi exatamente essa a função que o meu irmão, Luiz Carlos, teve no sequestro do embaixador: dirigir o carro. Coincidência inacreditável: fui fazer o meu irmão, sem ninguém saber que o cara da cena da vida real foi mesmo o meu irmão. Claro que procurei o meu irmão herói para contar mais detalhes para construir o personagem.

Quando fui interpretar, pensei que seria algo tipo Grande Otelo ou Oscarito, pois éramos eu e Pedro Cardoso nas cenas. A direção foi do Bruno Barreto, ele falava: "Menos, menos". Eu pensava: "Menos, como? Você nos chamou, nós dois, olha as nossas caras! Se botasse só eu e Pedro andando na rua já era uma comédia". A primeira cena do filme foi um assalto ao Banco Central, as pessoas já olhavam para mim com vontade de rir. Mas tinha a Cacau (Cláudia Abreu), Fernanda Torres, Matheus Nachtergaele. Elenco maravilhoso! Uma aventura dentro da aventura. Nós, com aquelas armas, fingindo. A Fernanda Torres que me indicou para esse papel.

Conseguimos mudar essa "visão de comédia" que tinham de mim e do Pedro. O Bruno foi ótimo e já morava lá fora, estava muito envolvido com a disputa do Oscar, tanto que nós fomos indicados na categoria de melhor filme estrangeiro e fomos lá.

Achei que estava acostumado a ir a esses prêmios pois, aqui no Brasil, fui mestre de cerimônias do prêmio Sharp. Mas lá fora tem muita luz quando a gente passa pelo tapete vermelho, eu agarrava a Nanda e saía andando sem conseguir ver muita coisa. O estilista Tufi Duek me arrumou um smoking moderno, estilo japonês, e fiz um sucesso danado. O Robert De Niro é muito amigo do Neville d'Almeida; o encontrei na festa e ele me olhava com aquela cara de mau.

O poço (2003) é um curta-metragem que o Marcelo Brou queria fazer e que ficou muito bom. Gravamos no sítio. É a história de dois irmãos que tinham umas desavenças; quando pequenos, um deles botou o outro no poço, escondido, tipo um castigo que os pais não veem.

Se puder... dirija (2013) é de Paulo Fontenelle e me lembro de vários momentos bem marcantes. Ali que fui descobrir que barba a gente faz é com gelo e água fria. Muito melhor do que fazer com água morna. Acordava cinco horas da manhã e voltava cinco horas da tarde. O resto, entregava pra Deus. O Paulo Fontenelle é um amor e esse foi o primeiro filme brasileiro em live-action gravado em tecnologia 3D.

Bem comercial

Falei aqui sobre teatro, cinema e TV e fiquei pensando: não tenho como não citar os comerciais. O motivo? Entrei para a TV justamente fazendo comercial, numa campanha da Caixa Econômica, do Nizan Guanaes. Deu certo, mas podia dar errado. O patrocinador podia achar que estávamos ironizando a marca.

Lá no Asdrúbal sempre me chamavam para testes de comerciais de TV, as produções pagavam passagens e cachês de testes para os atores. Mesmo se você não fosse chamado para estrelar o comercial, ao participar do teste você era remunerado com um cachê simbólico. Houve um tempo em que sobrevivi apenas dos cachês desses testes. Não existe mais isso. Fiz comerciais locais, pelo Brasil inteiro, uma forma de me fazer conhecido. Isso me deu uma certa vantagem quando entrei de fato na TV, pois já tinham me visto em comerciais.

Gravei vários. Dizem que meu talento cômico sobressai, e que esses comerciais têm a qualidade dos meus melhores quadros humorísticos. Não sabia que tinha essa facilidade. Percebi isso ao lado do Chico Anysio, quando gravamos um comercial de sandálias. Era 1994. Nessa série de comerciais, também estive ao lado de Malu Mader e de Vera Fischer. A cena foi filmada em uma praia, em uma época em que ninguém chegava perto da Vera. Cheguei nela e falei:

— Vera, vambora agilizar essa porra? Gravar e acabar logo com isso?

E a Vera não ficou chocada, não, deu tudo certo. Já com o Bebeto, jogador de futebol, sem querer dei uma chinelada no braço dele. Mas ele não esboçou qualquer reação. A gente tem que se virar ali, né, na hora, quando a atenção está toda em cima. Se você não dá o tom, a coisa não funciona.

Também nos anos 1990, fiz um casal com a Débora Bloch para um banco que nem existe mais. Participei de uma campanha de refrigerante com a Fernanda Torres, que filmamos no Armazém da Praça Mauá; foram uns quatro ou cinco comerciais por dia, fazendo três vezes cada.

Fiz um comercial de brinquedos da Lego, inclusive fui convidado pelos meus sobrinhos, que já são grandes. Não tinha filhos nessa época. Em 1998 anunciei um cartão de

112   Luiz Fernando Guimarães

crédito, além de fazer um comercial para a Petrobras. Em 1999, com Diego Vilela, rodei um anúncio para uma companhia telefônica que já sumiu: Telemar. E para uma seguradora.

Também fui o primeiro homem convidado a participar de uma campanha televisiva voltada para a prevenção do câncer de mama.

Em 2000 fiz um anúncio de cerveja. No comercial, apareço fantasiado de diabo, perturbando um homem que comprava verduras. Virou uma polêmica: em cartas ao Conselho Nacional de Autorregulamentação Publicitária (Conar), consumidores consideraram que a campanha estava induzindo à veneração do demônio, vê se pode? Achavam que o comercial levava a crer que consumir cerveja é melhor do que comer verdura. O conselho decidiu arquivar a reclamação. Também nessa época fiz comercial de geladeira. Em 2005, para a Brasil Telecom. E alguns comerciais com o Gregório Duvivier, para o site Buscapé.

No final das contas, nesse tempo todo, fiz mais de cinquenta anúncios e não consigo me lembrar de todos. Tem gente que tem vergonha de comercial. Eu acho o maior barato.

Depoimento de Chico Abreia

Fui a primeira pessoa a fazer comercial de televisão com o Luiz. Uma campanha superpremiada, das cadernetas de poupança da Caixa Econômica Federal, nos anos 1980. Acho que foi uma das campanhas mais premiadas desse país. Luiz fazia um repórter. Foi gravando pelo Brasil, e aquilo foi virando uma loucura. Na hora de gravar a gente dizia: "Vai, Luiz!" ao invés de "Ação!" ou "Gravando!". Aconteceram coisas geniais nesse período.

Luiz Fernando é incrível. Tenho um carinho danado por ele. E essa campanha, para a qual a gente no início não dava muita bola, ganhou todos os prêmios que você possa imaginar. Em uma premiação da classe, o Washington Olivetto, que é um gênio, abriu mão do prêmio dele numa campanha para que a gente ganhasse, porque ele mesmo tinha achado genial.

O comercial era o Luiz abordando pessoas na rua. O primeiro, gravado em Santos, é o mais genial de todos. Nele, Luiz perguntava se a moça já tinha a caderneta de poupança da Caixa, ela dizia que não, aí ficava aquele constrangimento e Luiz dizia: "Ela não é daqui!", e soltava uma risada escrachada, maravilhosa, que manteve em todos os comerciais. Tive a felicidade de trabalhar com ele nesse projeto, era uma campanha da Artplan, criação de Nizan Guanaes.

Luiz Fernando com aquele jeitão dele, moleque, brincalhão. Foi a primeira campanha que ele fez e aí já fez uma novela. Esse trabalho colocou o Luiz num outro patamar naquela época. Foram mais de quarenta filmes de comercial, a gente gravava em filme, o Brasil inteiro via. Depois, fizemos outras coisas. Fiz um especial de Natal com ele. Ficamos amigos e somos até hoje.

8.
EU COMIGO MESMO: PARTE 2

Odeio café com leite porque, uma vez, quando pequeno, na casa do meu primo, fui tomar um café com leite e tinha uma barata dentro. Peguei esse trauma. Atualmente, meu paladar está mudando. Voltei a comer marmelada, goiabada, pastel. Havia parado rigidamente e agora estou voltando com esse paladar. Nos ensaios do Asdrúbal, eu só levava enlatados. Já fiz várias dietas, mas também já misturei marmelada com feijão.

Em uma entrevista, a Leda Nagle me perguntou, aleatoriamente, se gosto de pipoca. Para ver televisão, sim! Mas não sou guloso. Tenho uma fome normal. Caso vá treinar na academia, sei que tenho que comer antes, sou muito regrado. Ah, não gosto de pimenta. Fui ao programa da Ana Maria Braga e ela adora pimenta, né? Me deu um empadão com pimenta que não consegui comer. Só que gosto de vatapá, caruru, comidas com sabores, só não gosto da pimenta. Também não sou muito chegado em creme de leite, que substituo por iogurte, apesar de também não ser muito chegado em iogurte.

Recebo, como todos, muitos convites, mas não vou muito a festas. É impressionante a quantidade de convites. Bloco de Carnaval? Não vou. Como disse, é um samba na quadra de vez em quando. Se for a tudo para que me convidam, não faço mais nada da minha vida. Quando estou fora do país, em férias, vou num clubezinho, em Londres, com Adriano e volto quatro, cinco da manhã. Ninguém me conhece e eu não conheço ninguém.

Agora, me chama para um show que eu adoro! Adoro música no geral e, como todo cantor de banheiro, canto uns sambas, às vezes, no chuveiro. As músicas da Alcione, então, eu canto sempre! Adoro sambar. No último aniversário da Regina Casé sambei pra caramba, o Caetano estava lá, também sambei com a dona Déa Lúcia, mãe do Paulo Gustavo. Todo mundo na vida é meio igual, só que com pequenas diferenças, nuances. Sou meio disperso, sou meio Forrest Gump.

Não sou político, não estou pegando no microfone para fazer discurso fofinho e convencer as pessoas de nada. Pessoalmente, acho um horror como está a humanidade hoje em dia. Tem um povo sem educação, um bocado de coisas, só que não perco a fé na humanidade, não. Sou humano, gosto das pessoas e também porque gosto da arte, da poesia, dos bichos, da natureza.

Fui uma vez em um programa da Angélica, falamos sobre astrologia e descobri que meu signo é sagitário, com ascendente em sagitário e a lua também é sagitário. Gêmeos é meu oposto complementar, que é o signo do Adriano. Falo alguma coisa, o geminiano completa. Uma loucura!

Quando me perguntaram se tinha sempre que me superar, atuar em peças ou realizar trabalhos que achasse melhores que os anteriores, eu refleti. Por um momento fiquei em pânico ao pensar se tinha essa característica. Deus me livre, não tenho isso, não! Gosto de deixar as coisas fluírem soltas, de maneira natural. Fiquei angustiado com aquela pergunta, deve ser horrível ser assim, tão competitivo consigo mesmo.

Sou preocupado com a saúde de forma normal, não sou paranoico com isso. Sou sensível às mudanças climáticas. Fiz implante capilar antes de se tornar moda, plásticas, mas tudo normal e sem exageros. Falo alto demais, às vezes me pego gritando. E acho o mundo muito confuso, podia ser mais organizadinho.

Meu nome não é de artista, é nome de médico, advogado, arquiteto. Isso tudo tem uma graça também, meio natural, que veio comigo. Gosto muito do meu jeito, estou muito feliz com esse jeito de ser, que tem me dado muitas alegrias.

Esqueço que tenho mais de quarenta anos de carreira! É o que falo pra vocês, tudo volta ao passado, tudo, qualquer coisa em relação a trabalho que você jogue para o futuro vem do passado, da sua experiência anterior; ela fala mais alto do que eu. Quando me chamam para o trabalho, às vezes penso: "Peraí, isso daí eu acho que já aconteceu comigo…". Não existe a vida sem a soma do passado, do presente, que vai dar no futuro.

Depoimento de Miguel Falabella

Éramos todos muito jovens. Morávamos na Gávea, bem no alto da Marquês de São Vicente, vizinhos na colina. Luiz Fernando morava com Diogo Vilela e eu, na praça logo abaixo. Sempre estava na casa deles, porque era como se fosse a morada da alegria, cheia de sonhos e porvires. Nossas carreiras, ainda vacilantes, começavam a se firmar. Eu tinha um Chevette bege e sempre dava carona ladeira acima, numa época em que o dinheiro era curto e qualquer auxílio era bem-vindo. Diogo pedia carona e depois enganchava numa conversa com alguém no Baixo Gávea enquanto eu reclamava que queria ir embora. Todos nós tínhamos timing de comédia, palco e o olhar curioso para a vida e as personagens do cotidiano, de modo que criamos o multiverso muito antes de ele ser inventado. Logo depois, eu me mudei para a Travessa Pepe, em Botafogo, que acabou se tornando um local icônico da nossa geração, pois ali morava Duse Naccarati, musa alternativa por excelência, uma comediante muito especial e que nos abraçou a todos. E junte-se a ela Vicente Pereira, Mauro Rasi, Regina Chaves, Dusek, Jorge Fernando, Luiz Carlos Góes, os Dzi Croquettes, Patricya Travassos e muitas e especialíssimas participações.

A vida era uma festa itinerante, vivíamos os estertores da ditadura militar, os anos de chumbo ficariam para trás e voltaríamos a rir sem medo. Luiz Fernando já tinha seu nome consolidado pelos espetáculos com o Asdrúbal, embora o teatro de grupo ainda exigisse sacrifícios de todos nós. Lembro-me de assisti-lo em *O inspetor geral* e de sair do teatro com vontade de ser amigo daquele ator de rara empatia que fazia o público arregalar os olhos de prazer e bem-estar, pois há atores que nos colocam nesse lugar. Vivemos juntos uma época, quando tanto o escândalo quanto o sonho ainda eram possíveis. Sou grato por isso.

Rivais, mãe?

Vou aproveitar o depoimento do Miguel para contar que Yara, minha mãe, achava — e isso era coisa da cabeça dela, naturalmente — que havia competição profissional entre mim e o Miguel Falabella. Não sei por que ela pensava isso. Tive poucos trabalhos com o Miguel, mas nos conhecemos muito e eu gosto demais dele. Sempre fui mais teatral e ele, mais autoral. Minha mãe foi de uma implicância, meu Deus! Eu dizia, sempre:

— Mãe, Miguel é meu amigo!

Yara foi uma "faz-tudo". Sempre arrumou dinheiro para os filhos, nos deu nossos primeiros apartamentos com o que ganhava vendendo as bugigangas que comprava em camelôs.

Adaptava em casa e revendia para as senhoras do prédio. Elas entravam de uma maneira em minha casa e saíam de outra. Igualmente feias, mas se sentindo belíssimas, maquiadas, maravilhosas. Engraçado demais. Minha mãe era muito comercial nesse sentido. Sabia fazer seu marketing.

Falo tanto de mamãe, pois aprendi muito com ela. Quanto mais o tempo passa, quanto mais me observo, percebo que ela foi uma professora da vida. Aprendi com ela, por exemplo, a ir sempre direto no responsável, nunca no interveniente. Assim, adiantando um pouco o tempo e falando já da época em que entrei na Globo, fui parar em reuniões para mostrar meus projetos diretamente ao Boni, ao Mário Lúcio Vaz, à Marluce Dias e ao Érico Magalhães. Não mandava recados.

Outra característica dela era que, quando pedia convites para minhas peças, queria logo uns dezoito, vinte, para levar todas as amigas. Antigamente, eu mesmo já fui assim, por isso eu entendo. Hoje em dia, sei que é trabalho e acabo preferindo comprar os ingressos. Mas ela sempre foi de agregar. E eu tenho isso comigo.

Fotos: arquivo pessoal

Meu irmão Luiz Carlos comigo pequenininho no colo; década de 1950.

Eu, ainda pequeno, no meio da família; década de 1950.

Eu e meus irmãos ainda nos anos 1950 (sou o do meio).

Professora Lena e minha primeira turma da escola, no Instituto Ipiranga. Época maravilhosa da minha vida.

Turma que ia no ônibus com o Valadão, no Carnaval; década de 1960.

Minha primeira foto de barba, em 1979. Nunca tinha deixado crescer.

Pessoal da *Trate-me Leão* (da esquerda para a direita): Cacá Dionísio, eu, Hamilton, o produtor executivo Paulo Conde, Perfeito Fortuna, Fábio Junqueira e Evandro Mesquita. Museu de Arte Moderna, no Aterro.

Gravando as músicas do disco *A farra da Terra*, em 1983.

Como astronauta, na peça *A farra da Terra*, em 1983.

Na novela *Cambalacho*, o João Pedro/ Jean Pierre, vestido de mulher, ia encontrar a personagem da Regina Casé, Tina Pepper, em 1984.

Meu aniversário na varanda, assim que montei minha primeira casinha, em Mazomba. Entre os convidados, Jorge Fernando, Kadu, Patricya Travassos, minha mãe (de perfil), Ricardo Bousquet, Joaquim e Jayme Spinelli, em 1988.

Esta cachorra é a Tijuca, linda e maravilhosa, que encontrei em um ponto de ônibus no bairro da Tijuca. Ela tinha meses quando a adotei. Ela batia nas árvores para fazer cair os frutos. Depois, os trazia pra mim, e eu os jogava para ela brincar. Foto de 1989.

Cão, quando era um bebê, em 1989.

TV Pirata – 1988

Eu e Louise Cardoso nas gravações ecológicas do *TV Pirata*.

Primeiro programa *TV Pirata*, um momento "Reginaldo". Esse era um dos sete irmãos do Reginaldo e a enfermeira era a Cristina Pereira.

Aquela atleta masculinizada do *TV Pirata*, personagem de alto deboche.

TV Pirata – 1989

Gravação do *TV Pirata*, representando histórias bíblicas. Eu, Ney Latorraca e Cristina Pereira. Aliás, eu e Ney sempre fazíamos dois homens gays.

Com Pedro Paulo Rangel e Guilherme Karam.

Eu e Diogo Vilela em cena.

TV Pirata – 1990

Interpretando o He-Man.

A turma dos super-heróis do *TV Pirata*: eu fazia o Homem-Elástico, o Ney Latorraca fazia o Homem-Bolha, Marco Nanini fazia o Super-Homem, o Guilherme Karam fazia o Batman, Diogo Vilela fazia o Robin, e a única mulher era Claudia Raia, Mulher-Maravilha.

O Ricardão.

Fotos: arquivo pessoal

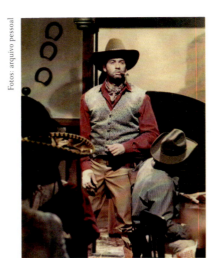

Fazendo a sátira de um comercial qualquer.

Descansando no cenário, em cima da privada.

No intervalo de gravações, com bigodinho safadinho e peruca danadinha.

TV Pirata – 1991

130   Luiz Fernando Guimarães

Linda foto, com meu saudoso cachorro Topete, meu primeiro salsichinha (dachshund), em 1991.

A festa para mim mesmo. O Réveillon solitário de Luiz Fernando Guimarães, em 1992.

No flat em que morei, em 1992, na Fonte Saudade, Lagoa.
Jayme Spinelli, Guilherme Karam, Luiz Carlos Góes e seu namorado,
Joaquim, além de Ricardo Bousquet, Eduardo Dussek e Rubens Araújo
(com meu cachorro Cão, no colo).

Meus irmãos Luiz Carlos e Luiz Felipe, eu e nossa mãe, Yara, com seu chopinho na mão.

Gravação de comercial que fiz com o Chico Anysio, em 1994.

Um desfile de 1994 em homenagem à Dijon. Interpretei o dono da Dijon, a Márcia Cabrita fazia a Luiza Brunet e a Fernanda Torres fazia a Monique Evans.

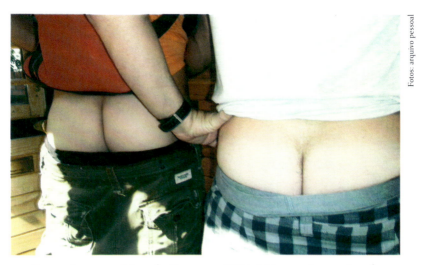

Estes são eu e o Marcelo Brou, em 1994. Não queríamos tirar fotos, então mostramos a bunda! Que nem criança!

Meu aniversário, na época em que estávamos filmando *O que é isso, companheiro?* Da direita para a esquerda: Nanda, eu, Fábio Assunção, Selton Mello e Cacau (Cláudia Abreu), em 1996.

Com meu saudoso amigo Rodolfo Bottino, em Portugal. Quem fez a foto foi Luís Salém, em 1996.

Eu e Nanda na África do Sul, logo após a última temporada da peça 5× *Comédia*, antes de iniciar *Os Normais*, em 1996.

No meu sítio, em 1996, quando fiz um espetáculo para
o Ney Matogrosso. Dublei ele para ele mesmo. Foi sensacional!

Minha primeira viagem com a Débora Bloch. Museu de História Natural, em Nova York, em 1997.

Meu primeiro contato com a neve. Foi ótimo, jogamos neve um na cara do outro.

Na piscina com o machinho napolitano chamado Galalau, em 1996.

Nanini e eu na *Comédia da vida privada*, dirigida por Guel Arraes, em 1998.

Em 1998, estava no meu sítio e soube que o Emílio Santiago ia cantar em Itaguaí. Fui e levei todo o pessoal do sítio. O show foi maravilhoso.

Aos 49 anos, em 1998, na minha festinha em casa, com Claudia Raia.

Da esquerda para a direita: Ney Matogrosso, Kadu, eu, Jayme, Jorge Fernando e Sergio Lobato, meu amigo do Leme, em 1998.

Gravando um comercial em Paris, num vento miserável. Era para ser usado caso o Brasil ganhasse a final com a França, em 1998. Mas o Brasil perdeu e a campanha não foi ao ar.

Com meu amigo maravilhoso, Matheus Nachtergaele, em meu aniversário de cinquenta anos, na rua Abade Ramos, em 1999. Ele não bebe mais, mas, nessa época, bebia e ficava correndo pela casa e beijando todo mundo. Matheus é amoroso, muito afetivo, uma graça. Amo de paixão.

Evandro Mesquita, Claudia Raia, Patricya Travassos, eu e Miguel Magno, em 1999, na última formação de elenco do espetáculo 5× *Comédia*.

Fotos: arquivo pessoal

Em Fortaleza, conhecendo esse moreno da minha vida, Adriano Medeiros, em 1999.

No Carnaval do Rio de Janeiro, de 2000, na Sapucaí, na época em que eu comprava frisa. Da esquerda para a direita: Humberto Gissoni, Luzia Ribeiro, eu, Toninho, Miguel Magno e Jayme Spinelli.

Fotos: arquivo pessoal

Amon, meu cachorro lindo, que já até participou de entrevista na TV com a Angélica, em 2000.

Em Berlim, em 2002.
Foto tirada por Adriano.

Eu e Adriano, em Nova York, em 2002. Ele adora viajar!

Comendo banana
em Paris, em 2003.

Com minhas costas de atleta, em um camarim, em 2006.

Meu eterno cãozinho Topete em 2007: quando era adolescente e metido a besta.

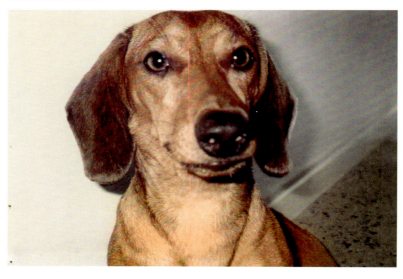

Com minha barba grisalha, em 2008.

Parte do elenco da novela *Cordel encantado*, em 2011.

O saudoso cachorro Sossego, em 2012, com sua cara grande; era um caçador. Hoje em dia tenho outro cão chamado Sossego.

Ensaio da peça *Como vencer na vida sem fazer força*, na Tijuca, em 2013. Ao centro (do meu lado esquerdo) está Alonso Barros, nosso coreógrafo. Este era todo o elenco masculino da peça.

Gravando para o programa *Divertics*, com Jorge Fernando, imitando um avestruz, em 2014. Um deles não foi com a minha cara e quase me atacou.

Filtro que usei na foto, no celular, no primeiro dia que vi meus filhos, em 2020.

Dante, no primeiro dia, pegou meus óculos. Na foto abaixo, eu, com o cabelo do Pica-Pau, para animar o Dante. Fotos de 2020.

Com a mão cheia de formigas, na Amazônia.

Eu, no rio Negro, com Olívia dormindo no colo.

Eu sou uma série de 11 capítulos: a autobiografia 151

Eu, Olívia e Dante filmando uma peça para animar papai Adriano, que estava internado com covid-19, em 2021.

9.
POLÊMICAS, FESTAS E AFINS

Inventam cada coisa sobre mim, acho surreal. Alguém foi lá na Wikipédia e colocou que fiz a primeira novela em 1972, *Uma rosa com amor*. Acontece que nunca estive nessa novela! Minha estreia foi em teatro e, ainda por cima, só dois anos depois. Disseram também que eu não andava de carro vermelho, mas é balela. Não sei de onde surgem todas essas lendas. Mas temos que ter certo cuidado com parte da imprensa que, muitas vezes, enfatiza algo a que a gente não dá valor nenhum, apenas para gerar alguma polêmica — o que cria uma audiência nociva para todos. A Adriana Garambone, que hoje é minha amiga, disse que tinha o maior receio de contracenar comigo porque falavam que eu era exigente demais.

Quem faz humor tem uma seriedade muito grande dentro de si, quase nostálgica. Não sou triste, sou sério. Mas esperam que eu fique fazendo graça toda hora, não funciona assim a vida. No aeroporto é a pior coisa: você está ali, cheio de malas, esperando avião, atrasos, e querem que você fique fazendo piada.

Nos anos 1990, eu corria muito. Fazia maratona e tudo. Parei de correr porque um dia, quando estava em cartaz com a peça 5× *Comédia*, no Rio, começou a chover. Lembro da cena: eu correndo em volta da Lagoa, uma chuva torrencial, ninguém na rua, só eu. Foi aí que me toquei que deveria parar. Já estava correndo no automático, exagerando demais. Correr vicia. Eu saía com tênis e short dentro do meu carro. Se alguém estivesse correndo, saía e ia correr junto. Pensei: "Ah, não, tem alguma coisa errada aí".

E acabei tendo que colocar um pino de titânio no quadril, de tanto que corri. Foi por desgaste. Inicialmente, os médicos desaconselharam operar, dizendo que eu era muito jovem. Fui a Paris, não estava conseguindo andar e voltei. Falei com uma senhora lá na minha fisioterapeuta, que havia operado. Ela me deu a maior força, falou que estava ótima. Operei e foi uma coisa maravilhosa, fiquei ótimo também. Agora, sempre que passo em aeroporto, o titânio apita. Fico parecendo um homem bomba e vem todo mundo na minha direção. Já até acostumei. Mas isso vira e mexe é motivo de falatório.

Depoimento de Adriana Garambone

O que eu mais gosto no Luiz é a forma singular que ele tem de viver as coisas mais corriqueiras e simples. Descrever situações extraordinárias seria contradizer sua essência.

Ele é um mago que transforma qualquer momento simples em extraordinário.

E aqui eu poderia citar conversas despretensiosas na cozinha do sítio em Itaguaí com amigos de longa data que facilmente virariam uma série. Poderia citar também longas conversas hilárias que ele tem com seus cachorros, que são riquíssimas, ou algumas viagens que fizemos juntos que poderiam virar tema de filme. Até quando ele me conta como foi buscar as crianças na escola imagino um personagem. Mas vou contar um pouco da passagem dele pelo teatro musical, em que fui sua parceira no palco; digo parceira porque não se contracena com o Luiz e sim se vive uma aventura hilária com ele!

Pude acompanhar todo seu processo de criação, em que as cenas mais engraçadas eram construídas de uma forma natural. Vou começar dando o exemplo de uma cena que era um telefonema. Um contrarregra entregou um telefone pra ele no ensaio, ele pegou, atendeu e, quando terminou o texto, não sabia o que fazer com aquele aparelho, o contra não estava mais ali, simplesmente ele tacou o telefone de volta para a coxia com tanta naturalidade, como se ele fizesse aquilo todos os dias na sua casa! E de repente tínhamos um personagem que tacava os objetos que não o serviam mais e bailarinos tinham que se jogar pra pegá-los antes que se espatifassem no chão! Genial!

Outra cena de telefonema de que jamais vou esquecer é uma em que ele dava uma desculpa para sua esposa e, no meio da temporada, já existiam 37 desculpas criadas por ele, e todas maravilhosas! Levava a plateia e todo o elenco às gargalhadas!

Luiz também tem um amor imenso pelas pessoas. Às vezes ele parava a peça para falar, empolgado, algum detalhe pessoal de alguém do elenco! De vez em quando, ouvia lá do camarim ele conversando sobre mim com a plateia! Inacreditável! Muitas histórias aconteciam todos os dias, o musical era *Como vencer na vida sem fazer força*, uma montagem de Charles Möeller e Cláudio Botelho. O grande Luiz Fernando Guimarães é um menino amoroso que se diverte! Vejo toda sua carreira brilhante pautada nessa essência simples e genial, e no grande amor que ele tem pela vida e pelas pessoas. Sinto-me honrada por estar perto desse grande artista e ser humano que é o Luiz! Obrigada, meu amigo!

Festeiro

Como disse, talvez seja uma característica minha, de signo. Dizem que sagitariano adora gente, festa... E, sim, adoro gente, adoro festas e acabo sempre fazendo muitos amigos. Sou um acumulador de amigos. Eles vão chegando e vão ficando. Gosto de conhecer novas pessoas.

Ao mesmo tempo, apesar de viver cercado de pessoas, não tenho o menor problema com a solidão. Tanto que já fiz um Réveillon só eu comigo mesmo, no sítio. Não que eu quisesse ficar só, acho que foi um Réveillon em que o

Adriano não pôde vir, não chegou na hora, sei lá. Falei para mim mesmo: "Ah, tudo bem, vou passar o 31 sozinho". E fiz uma mesa, tudo só para mim mesmo, e não era nada de qualquer jeito! Produzi uma festa como eu mereço. A festa está dentro de nós, a solidão também.

Estava feliz da vida nessa ocasião. Nem cachorro tem na foto — porque geralmente tem os cachorros nas minhas fotos. Não tínhamos nem os móveis ainda direito. Foi bem no iniciozinho da construção do sítio.

Fiz minha casa aos poucos. Era pequena e fui aumentando. Levo muito tempo para fazer as coisas, penso muito. Apesar de ser impulsivo em algumas coisas, em outras paro e penso. É assim, também, quando vou decidir uma peça. O teatro é como a casa: você vai construindo, precisa de tempo.

Nessa casa, fiz o meu aniversário de setenta anos. A pedido de amigos, fiz a "Festa do Gin". Reuni um grupo de músicos, parentes… A ideia era de que todos chegassem cedo, para a festa terminar por volta da meia-noite. Faltou luz, por um milagre apareceram velas para salvar a noite, acendemos todas. Virou uma "Festa Hippie". Janelas foram abertas e, durante umas três horas, os convidados tiveram que subir uma escada de serviço estilo caracol, dificílima, para chegar à festa. Uma prova de amor e de amizade. Ótimo. Provaram que gostam de mim imensamente.

O Evandro Mesquita esteve nessa festa e disse: "Voltamos aos anos 1970". Evandro tem sempre umas saídas ótimas. Sou organizado e peço sempre a todo mundo para

Eu sou uma série de 11 capítulos: a autobiografia 157

chegar na hora. Tenho um rigor quando quero fazer uma festa. Falei a todos:

— Festa de setenta anos não começa meia-noite! Tem que ter início, meio e fim, por isso, chega às oito.

Todo dia mandava mensagem: "Chega às oito!". E todo mundo chegou.

Em outra festa dessas no meu sítio, pedi para todo mundo chegar de manhã, pois a festa acabaria às dezenove horas. E já aviso logo para dizer se vem ou não. Se alguém não vai comparecer, eu substituo logo, para não ficar faltando gente. Chamei 120 pessoas, foram oitenta. Tenho horror a me decepcionar, então tenho esse trabalho para não sofrer decepção e nem culpar ninguém depois, caso a pessoa não vá.

E minhas festas são maravilhosas! O meu aniversário de 71 anos também foi no sítio. Um churrasco bem intimista e com poucos amigos. No de 72, já chamei todas as galeras, de teatro, de vida... umas duzentas pessoas. Das dez às dezenove horas, porque tinha crianças, familiares. Neste dia, a Fernanda Montenegro foi uma das primeiras a chegar. Dei o maior valor a isso.

Gosto tanto de festejar que fiz uma festa surpresa para mim mesmo! Foi em 1988, eu tinha duas sessões da peça com a Marília Pêra, *O reverso da psicanálise*. E aí fiz o convite aos amigos do elenco, falei uma semana antes. Combinei com todo mundo:

— Cheguem 23h30. Quem chegar depois disso, nem vou abrir a porta.

E eu me esqueci. Deu terça, quarta, quinta, sexta, tive duas sessões no sábado. Esqueci totalmente da festa. Cheguei e... Surpresaaaaa! Estava todo mundo lá.

Não são simplesmente festas. São encontros com pessoas importantes em minha vida. Eu realmente valorizo minhas amizades. Tanto que, às vezes, sinto que as pessoas íntimas sabem mais a respeito de mim do que eu mesmo. São coisas que, se eu ficar falando, vou ter que ficar cavando, cavando, cavando... Falo muita coisa dramática, mas quando eu falo, não parece dramática.

Minha vida é assim. Contei aqui que fui viciado e bebia para caralho, que fui internado. Falo do passado, mas não estou vivendo mais nele. Quando conto hoje, como sou comediante, sinto que a história não tem o peso que tinha antes.

Depoimento de Evandro Mesquita

O que eu me lembro do Fernando é que foi amor à primeira vista. Todo mundo vira muito amigo dele, depois vira muito fã. Para mim foi uma surpresa enorme conhecê-lo, eu já fazia teatro no Teatro Ipanema e já tinha feito o curso de Sergio Britto, Regina, Hamilton e Nina de Pádua. Temos essa ligação teatral. Na primeira peça do Asdrúbal, *O inspetor geral*, já fiquei de cara deslumbrado com a presença do Luiz. Seu tempo teatral de comédia é incrível, começamos a ensaiar juntos. Era um prazer e uma alegria enorme contracenar com o Luiz, a generosidade cênica dele é sensacional. Com ele, o jogo fica bom, o frescobol teatral, ninguém vence, mas todos ganham! Era bom fazer exercícios e cenas com ele. Não era um privilégio só meu, era de todas as pessoas que tiveram essa sorte, poder desfrutar desse talento dele no palco, na TV e no cinema. E vivemos várias aventuras juntos. O Asdrúbal foi antes da Blitz e era quase uma banda de rock, viajávamos o Brasil todo, íamos para Recife, Porto Alegre, dávamos cursos e fomos presos em Santa Maria (RS) juntos. Luiz sempre foi astral e clareza, sempre me inspirava muito. Ele tem clareza administrativa.

Em uma ocasião, tínhamos uma troca de roupa nos bastidores, assim, meio rápida, e o Luiz tinha uma cena em que usava um terno. Tinha um pão com manteiga dando sopa por ali; coloquei o pão com manteiga dentro do terno dele e ficamos nos bastidores filmando sua reação. Ele estava em cena, pra lá e pra cá, com o bolso mais pesado e melado. Luiz meteu a mão no bolso, era uma cena séria, a gente morrendo de rir e ele com a mão cheia de manteiga, sem perder a concentração. Isso, entre nós, tornava a viagem mais agradável. Nas divulgações de rádios do interior a gente ia juntos e era divertido demais.

Também fizemos "Uma dupla do peru", que era um capítulo da série *Armação Ilimitada* e fazíamos personagens que eram a antítese dos heróis, e essa conexão nossa de interpretar na mesma linguagem foi imediata. Fiz também umas participações em *Os Normais*, que era sensacional. Quando vou contracenar com o Luiz já sei que vai ser bom e que vamos nos divertir muito.

Desligado

Tecnologia, comigo, é uma coisa complicada. Ela não está ao meu favor. Sou desajeitado e tropeço em fios, não sei conectar os cabos e nem sei das configurações. Pelo menos já sei que não me dou bem com a tecnologia e isso é um ponto a favor. Entrando em cena na televisão, sempre tropecei na câmera, no fio, derrubava cenário. Tropecei muito no *TV Pirata*, isso acontecia direto. Depois que vi que o Guel Arraes também tropeçava e que também é sagitariano, até me senti melhor. Pensei: "Ah, tá tudo bem, então".

Sou distraído, daquele tipo que perde tudo. Já perdi mil vezes documentos, esqueço as coisas, não posso ter papel no bolso que perco. Preciso sempre ter alguém ali com minhas chaves, papéis, documentos... Quando estive no *Programa do Porchat*, na Record TV, perdi tudo no aeroporto. Mandaram buscar meu passaporte para eu voltar de São Paulo, não havia como comprar a passagem.

Essa história de ser desligado fica engraçada só depois, quando a gente conta. Quando está acontecendo é uma lástima. Cheguei várias vezes sem nada, sem cartão de crédito, sem chave, sem passaporte, nada! Sou terrível com isso, tenho essa característica péssima. Mas eu juro que busco melhorar e nunca me perdi em contas a pagar. Ainda bem que hoje em dia existe débito automático.

Uma vez, comprei um carro de segunda mão e não sabia dirigir: ia à garagem do prédio onde morava, mas, para tirar o carro, batia na parede, dava ré e batia de novo, então o carro era todo amassado. Tive vergonha quando entrei para a autoescola: fui maltratado pelos instrutores porque meu carro estava todo amassado, dirigia mal demais. Eis que um amigo meu chega ao Rio, estava uma tempestade, e me pediu para pegá-lo em Ipanema. Fui até a garagem onde estava meu carro amassado, peguei de primeira e segunda, e assim fui indo, com o meu Santana Quantum no meio da enchente, até chegar lá. Consegui chegar dirigindo, com um monte de carro parado, enguiçado na água. Do meu jeito eu fui. Mesmo achando que o carro ia parar a qualquer momento, espirrando água. Só que, ao mesmo tempo, me senti capaz, vitorioso, consegui. Meu amigo voltou dirigindo, é claro.

10.
ARMÁRIO? QUE ARMÁRIO?
& ETC...

Nunca existiu esse negócio que falam: "Ah, ele saiu do armário". Armário, gente, que armário? Sempre fui gay, não escondi isso de ninguém a minha vida inteira. Isso nunca foi exatamente um assunto. As pessoas é que tornavam sempre isso uma questão. Nunca vi a razão.

Sempre namorei por muito tempo e considero que, antes do Adriano, fui casado duas vezes. Além do Manel, de quem já contei aqui, tive uma segunda relação que durou cinco anos, com o Ricardo. E o término desse namoro foi um tanto conturbado.

Na época, nos anos 1990, frequentava uma boate em São Paulo e tinha um gogo boy, no qual eu me inspirei, sem ele saber, para fazer o meu personagem no teatro, na peça 5× *Comédia*. O sonho desse personagem era tirar a roupa no programa do Raul Gil.

Entretanto, a Claudia Raia e a Alessandra Reis, minha produtora-amiga-cunhada (casada com meu irmão Luiz Felipe), sabiam disso. Elas fizeram um aniversário para mim, com a imprensa toda, e em um determinado momento, chega o bolo.

Elas botaram o cara para sair de dentro do bolo! Claro que fizeram na maior das boas intenções, mas meu tesão no cara, só eu e ela sabíamos. Era uma coisa de inspiração para um personagem. Nada mais que isso. O Ricardo não gostou nada, subimos para o quarto e o relacionamento acabou.

Mesmo com esses dois grandes relacionamentos, nunca havia me casado de fato, de morar junto. Adriano é a minha primeira experiência nesse sentido. Já disse que sou um acumulador de amigos. Então, se pudesse, eu teria ficado amigo de todas as pessoas que passaram pela minha vida afetiva. Juntava todo mundo no mesmo barco. Na minha festa de oitenta anos, por exemplo, se pudesse ter todos lá, se tivesse todo mundo vivo, se fossem todos amigos... não ia ter problema nenhum. Porque, emocionalmente, estou resolvido ali, com aqueles ex. Tem alguns de quem sou mais amigo que outros — já viajei junto, falo toda hora, visito a família e tal. Outros não têm essa relação toda comigo, mas a gente tem uma ligação.

Com o Adriano — Drico para os íntimos e Medeiros para a turma das antigas — foi tudo diferente. Eu e o Adriano nos encontramos durante a temporada da peça 5× *Comédia*, em Fortaleza, e foi muito forte. Ele é ótimo para contar essa história — e como eu gosto do jeito que ele conta, vou deixar essa com ele.

Depoimento de Adriano Medeiros:
Parte 1

Eu trabalhava num parque aquático, em Fortaleza, e ocupava meu primeiro grande cargo, o de gerente social. Ficava o tempo todo de bermuda, camisa polo e um radinho. Rodava o local e, nessa época, estávamos implantando o Resort no parque. Eu, que sou do Rio, tinha uma folga a cada dez, quinze dias. E costumava vir ao Rio nesse período. Estava aqui quando me ligaram, porque o parque iria receber pessoas muito importantes. "Precisamos que você volte urgente para estar com essas pessoas e atender às necessidades delas", disseram. Eram atores de uma peça que ficaria em cartaz, a 5× *Comédia*, e iriam com apoio de patrocínio por meio do Lázaro Medeiros — que era o gerente de comunicação e marketing do parque e muito amigo da Claudia Raia. Então, peguei o avião depois do almoço e voltei para Fortaleza no mesmo dia, fui direto ao restaurante e eles estavam chegando na mesma hora. Lázaro me apresentou para Claudia e depois a Claudia me apresentou ao Luiz. Ele deu um sorriso diferente. Luiz era casado havia seis anos com o Ricardo e eu estava casado na época com uma mulher. Nossas vidas eram diferentes. Eu fiquei uns vinte minutos conversando com eles, tinha 24 anos, mas já sabia da responsabilidade que eu tinha de atendê-los bem.

Sempre soube que eu era bissexual e achei Luiz muito interessante. Estava no meio de uma relação, mas algo bateu demais entre a gente. Fiquei até incomodado com aquela situação, pois era meu ambiente de trabalho. Desconfortável, mesmo. Só que teve um olhar, um clima, que eu achei que ia dar em alguma coisa. Eu tinha um apartamento de gerência, dentro do hotel, e tinha um também na cidade — na praia. Acordei no dia seguinte e já tinha o contato de todos, já havia celular. Liguei para o Luiz, que estava com a Claudia na piscina, para perguntar se estava tudo ok. Eu estava na varanda do apartamento funcional, de frente para a piscina, vendo os dois. Comecei a comentar sobre a roupa deles, mas eles não sabiam de onde eu os estava vendo, ficaram intrigados! Claudia se levantou e me viu, ficou rindo. E Luiz começou a rir, ela mostrou onde eu estava. Ele bateu a mão no peito e jogou para a frente, como quem manda um coração. Foi aí que ferrou tudo. Desci, conversamos, almoçamos e Luiz pediu para eu assistir ao ensaio da peça. Então eu assisti, no finalzinho da tarde, e ainda fiquei para a peça, de noite. Na volta, bati com o carro. Eu nem poderia ficar, era o carro da empresa, e tinha que resolver as coisas da batida. Mas aí ele falou: "Não, eu vou com você!". Luiz, em vez de ficar com o pessoal da peça, sair para jantar após o espetáculo, preferiu ir comigo. Foi quando eu disse que iria mostrar para ele um lugar muito legal. Do lado do parque tinha moinhos de vento grandes, em cima de umas dunas. Os moinhos geravam energia ali para aquela região, eu conhecia o cara que trabalhava lá. Ele abriu para a gente entrar, embora não pudesse, e estava uma lua linda. Parece cinema, mas é super-real. Entramos lá nos moinhos; foi lindo o início de nossa história. Só que a gente só trocava a maior ideia, não rolou nada. Ele ficava pensando, introspectivo. Ambos estavam se amarrando nessa situação.

No dia seguinte, fui de novo assistir à peça, jantei com eles e fomos embora. Luiz recebeu uma ligação, que o Cão, cachorro que ele amava, tinha morrido. Ele sentou no meio-fio, ficou chorando um tempão, eu vi aquele cara — com nossa diferença de idade e o tamanho dele, que é um cara grande —, então fui e abracei e fiquei beijando-o, primeiramente na bochecha. No meio-fio, no meio da rua, rolou o primeiro beijo. Aí, nós fomos para o hotel e cada um foi pro seu apartamento. Depois de uma hora e meia Luiz bateu na minha porta, eu abri, preocupado: "O que você tá fazendo aqui?". Ele invadiu o apartamento, dizendo que não conseguia dormir, e então ficamos juntos, dormimos agarrados, abraçados. Estava preocupado com o que fiz no trabalho, mas fiquei também feliz porque dormir junto era muito íntimo e eu estava gostando dele. Aliás, a gente dorme superbem até hoje. E já estamos juntos há 25 anos! Me sinto poderoso o protegendo. É uma delícia pra mim.

Depois, Luiz acordou e pedi para ele tomar cuidado e sair do quarto de boa, discretamente. Após esse episódio, já era almoço juntos, já saíamos depois da peça todos os dias! A peça era de quarta a domingo, um sucesso total. Nessa época, trocávamos muitas mensagens de texto. Na segunda eles iam embora de manhã e a Alessandra Reis foi muito importante na nossa relação e entendeu o que estava acontecendo.

Eu não sou da geração que anda de mãos dadas no shopping e dá beijo na boca na rua. Eu entendo meu pai, que no primeiro momento não entendeu bem nossa relação.

Minha mãe também não entendia. Implicava muito com o Luiz. Ela não o aceitava. Mas, antes de ela morrer, conversou em particular com o Luiz, que não me falou o que foi, não sei até hoje! Ele disse que foi uma coisa dele e dela e ponto. Depois dessa conversa ela passou a aceitar o Luiz. Foi um belo fechamento de ciclo.

Durante esses 25 anos, ficamos separados por duas vezes: por três meses e, depois, por um. Numa dessas vezes, Luiz conheceu um cara, começou a ir para Maceió aos finais de semana... Eu enlouqueci, mas nessa época estava em Salvador, sofrendo quieto, sozinho. Aquela era minha história, eu não poderia permitir que ele conhecesse alguém nas mesmas circunstâncias que eu, o que estava acontecendo?

Falávamos muito pontualmente nesses três meses, poucas vezes. Mas ele ligou um dia, disse que estava com saudade, e a gente conversou sobre a importância que um tem para o outro. E eu pensava em como eu era infeliz sem ele! Foi isso que fez a gente voltar. Sem ele me tornei um cara muito vazio, muito infeliz.

Confissões

Esse primeiro depoimento do Adriano é muito lindo (teremos outro um pouco mais para a frente). E ele toca em dois pontos aqui que vou explicar um pouco melhor.

Na época da separação, me envolvi com um garoto em Maceió, ele tinha uns dezenove anos. Fiquei apaixonado. Sabe paixão? Aquela coisa avassaladora? Foi isso. E ele falou que ia se mudar para o Maranhão. Eu disse que iria junto. O Adriano não se conformava e tentou de tudo para descobrir algo dele. Até que achou umas fotos que ele havia feito para uma revista de homens pelados. E eu dizia para o Adriano:

— Não me importo. Não quero casar, nada. É uma paixão.

E foi isso mesmo. Eu fui três vezes ao Maranhão para me encontrar com ele e o fogo acabou. Assim como veio, a paixão se foi. E eu descobri que queria mesmo era ficar com o Adriano.

A gente passou por muita coisa juntos. Durante muito tempo, como o Adriano é hoteleiro, eu viajava para me encontrar com ele. Viagens por todo o Brasil. Me hospedava no hotel e invadia o quarto dele à noite.

Uma vez, em Recife, no começo dos anos 2000, era aniversário dele, e pensamos em fazer diferente: alugamos uma casa para não ficar no hotel. Estávamos na estrada quando um caminhão que carregava enormes pedras de construção invadiu a pista e capotou, desgovernado.

Me lembro das pedras por tudo o que era lado e de uma delas, enorme, vindo em nossa direção. Ela parou na nossa frente. Bem na nossa cara. Me lembro também de uma luz azul que desceu, do nada. A gente sobreviveu sei lá como. Teve gente que morreu naquela catástrofe.

A imprensa foi até lá e o Adriano, mesmo com tudo aquilo, ainda pensou em me esconder no carro, para me preservar. Imagina só isso! Ele chamou o gerente do hotel em que ele trabalhava, que foi nos resgatar.

E, já que estou confessando, vou contar aqui, no livro, como uma surpresa e uma forma de demonstrar todo o sentimento por Adriano, o que a mãe dele me falou antes de morrer.

Sim, ela sempre implicou comigo. E quando ela estava lá, fraquinha, me chamou num canto e, com a voz frágil e quase sumindo, fez um pedido de mãe:

— Toma conta dele…

É um pedido que levo para minha vida.

Casamento

Eu e Adriano já estávamos juntos há uns vinte anos e resolvemos nos casar, mas com banheiros separados. Foi para formalizar mesmo, botar aliança. Não foi necessariamente para garantir direitos ou inspirar novas famílias, embora isso tenha acontecido. O Adriano, digamos assim, dá um grande valor a isso. Eu, por exemplo, sou distraído e perco a aliança, tenho que esconder ela de mim mesmo toda hora.

As fotos do casamento são emocionantes e têm as nossas caras inchadas, chorando. Foi o começo de outra parte da nossa história; o amor sempre vence no final. Fomos tomados por uma felicidade enorme, nossa família também, tudo muito íntimo, uma cerimônia aqui em casa, na sala. O dia do casamento é como uma "responsa" que você assume, mas atualmente já não sinto assim. Sempre escolhemos o antagônico para ter a vida sempre animada. Normalmente sou bem autocentrado.

"Nós descobrimos a fórmula de estar juntos. Somos diferentes. De idade, de temperamento, de atitudes. Mas aprendemos a nos respeitar, a nos entender e descobrimos como é bom envelhecer juntos, ver TV no sofá, esperar ansioso pra chegar sábado no sítio e escutar a cachorrada latir", o Adriano postou em seu Instagram, na época do casamento. Gostei disso.

Nos aeroportos, quando viajo com o Adriano, pelo biotipo já acham que ele é o muçulmano e sou o alemão, que patrocina o homem bomba. Hilário! Adriano adora acessórios, boné, pulseiras, ama viajar e está sempre com a mala cheia. No exterior, não me reconhecem, mas as placas e pinos que tenho no corpo apitam nos captadores de metais. Imagina só isso nos aeroportos internacionais!

Filhos

Um belo dia, estávamos, eu e Adriano, sentados em um banquinho, no sítio, na beira do lago, e começamos a refletir: "A gente pode ficar só nós dois, velhinhos? Quem sabe uma criança?".

Conversamos bastante sobre isso, parece que estávamos precisando falar sobre esse assunto. Tínhamos decidido ficar sozinhos, mesmo, mas aí repensamos e veio essa possibilidade. Começamos a nos interessar. Foi um olhar para as crianças do país, acho que é uma coisa forte, quanta criança carente! Olhamos muito por esse lado. E entramos no Cadastro Nacional de Adoção (CNA). Foi uma decisão muito acertada.

Vamos trocar pai adotivo por pai afetivo? Dante e Olívia são da Amazônia e fizeram um curso para entender a homoafetividade. Passamos para eles o tempo inteiro, com a maior naturalidade do mundo, que são duas pessoas que se amam. Nunca forçamos nenhuma barra. Nós apenas agimos — e ainda agimos — muito normalmente, não para esconder ou omitir nada, ao contrário. Fizemos questão de que eles se preparassem e estivessem prontos para ter dois pais.

Começamos a ter um contato direto por vídeo e nos falávamos praticamente todos os dias, durante um mês. Até que a juíza escutou da boca deles que queriam ser adotados por dois pais. Assim foi, após um tempo na fila de adoção.

Nosso "período de gestação" teve também uma viagem para a Amazônia: eu, que sou louco por floresta, sonhava em ir para lá. E quis o destino que meus filhos fossem da Amazônia. Pois bem, depois que eles disseram que queriam dois pais, ficamos um mês morando lá para que a gente se conhecesse melhor.

Uma realidade diferente — eles iam do abrigo para a casa em que estávamos. Apresentava para eles o feijão preto. Olívia só comia morango e uvas verdes. E o Dante comia de tudo. Repetidas vezes. Ele é assim até hoje: limpa o prato sem deixar um grão de arroz.

Passado o momento abrigo-casa-abrigo-casa, tivemos um segundo momento, no meio da floresta, mesmo. Fomos a um resort de um empresário, Ruy Tone, que deixou o local todo só para nós. Lá, eu e Adriano tivemos a certeza: Dante e Olívia são nossos filhos. Eu tenho uma coisa muito forte com a floresta, e acabei sendo guiado.

Ser pai com a idade que tenho me despertou características que jamais imaginaria. Tipo ficar subindo em árvores e brincando no jardim com eles. O Dante é apressado. Ele quer passar dos onze para os dezoito anos logo. E eu falei para ele:

— Tenho idade para ser seu avô!

E ele acha que estou brincando.

Tivemos covid e o Adriano ficou internado. Foi muito grave. Foi logo na chegada das crianças. Mas em nenhum momento pensei que ele fosse morrer. A gente gravava um teatro e botava um celular na frente dele, para ele ver no hospital. Agora, visto no passado, percebo que foram momentos importantes: eu passei o primeiro Natal e o Réveillon deles por aqui, só nós três. Eu, sendo pai na marra. Eu sempre me senti cuidador das pessoas na vida, mas ali, eu virei pai.

Mas o pior passou rápido e recebi muito amor dos fãs nas postagens angustiantes que fiz no Instagram. Além disso, tive problemas dentários na pandemia. Pode uma lasca de dente quebrar no meio desse isolamento? Atravessei a cidade e fui ao dentista de plantão, mascarado, mas com fé, porque a fé não costuma falhar. E voltei sorrindo!

Tenho planos de levar Dante e Olívia para conhecerem o mundo. Preciso mostrar para eles os musicais, a minha vida e a do Adriano, o que vivemos e viveremos ainda. Já fomos todos juntos a Fernando de Noronha! Este ano, fomos à Euro Disney e eles amaram. Temos amigas em Londres e em Paris, e as encontramos na ocasião.

Criança precisa de muita gente por perto. Tias, primos, amiguinhos. Alternamos a criação, eu e o Adriano cuidamos deles, mas não existe fórmula para isso, né? Tudo vai acontecendo. Nem tudo está certo, nem tudo está errado, mas a gente passa a lição da escola, acompanha a ida ao dentista, o escovar dos dentes, a alimentação, a escolha das roupas. Já acho o Dante muito voltado para o mundo artístico, assim como a Olívia para a moda.

Adriano gosta mais de ir às reuniões da escola do que eu. Ele gosta verdadeiramente disso, então, aproveito, no bom sentido, e ele faz mais essa parte.

Falo com o Dante que podemos e devemos acreditar em energia. Duendes, fadas, gnomos, anjos, são quase ícones religiosos. São, na realidade, energias transformistas. Porque Dante já me contou que não acredita em Papai Noel, por exemplo. Mas ele acredita em gnomos!

Depoimento de Dante

A primeira vez que vi o papai Luiz, ele estava bem estiloso, com um tênis azul. Papai Adriano vestia uma camisa branca, com alguma coisa escrita em preto. Meu papai Adriano contou que o papai Luiz estava muito nervoso quando chegou no abrigo, ficou uns quinze minutos no banheiro, com dor de barriga. Mesmo com dor de barriga, ele estava muito feliz! A gente também estava um pouco nervoso, mas felizes.

Queria mostrar aos meus pais um lugar lá na Amazônia, mas tinha piranhas na água e mesmo assim papai Luiz entrou, só que não podia ficar por muito tempo. Uma vez, ainda lá, deitei no ombro do papai Luiz e a gente ficou ali, o maior tempão. Peguei os óculos dele, coloquei no rosto, fiquei fazendo carinho nele e ficamos conversando sobre várias coisas. Falamos os nomes dos cachorros, papai Luiz dizendo que ia mostrar eles para a gente. Depois, fiquei apresentando os lugares da Amazônia para os meus pais conhecerem!

Uma vez, papai Luiz queria que eu ficasse de boia porque achava que eu não sabia nadar, mas já sabia nadar um pouco, e me virava. Outra vez a gente estava num hotel, Mirante do Gavião, e o papai Luiz chegou lá, passou dois dias, dei a ele um chocolate e disse: "Toma esse chocolate que é uma delícia". Mas ele não sabia que era de pimenta! Papai Luiz ficou gritando o hotel todo, descendo para pegar água. Foi engraçado.

Papai Luiz tem uma diferença do papai Adriano. Protege a gente e quer dar os doces, não quer dar doces todo dia, mas pelo menos deixa a gente comer. Já o pai Adriano, não! Ele fala: "Agora não, não vai comer doce!".

Me identifico com papai Luiz porque a gente gosta do silêncio, não gosta de briga, gosta que esteja tudo calmo, quieto, organizado. Mesmo que eu não seja organizado, agora estou sendo, ele também. Não gostamos de ir para o shopping, adoramos cachorro, floresta. Temos um monte de coisas em comum. Eu achava que papai Luiz gostava de água quente, fiquei impressionado que não. Mergulhamos mesmo quando está chovendo ou muito frio. A gente adora água gelada!

Papai Luiz me apresentou a comida japonesa e, no começo, eu não gostava. Mas aí fui comendo, aos poucos, e agora pedimos japonês uma vez por semana. A gente adora! Eu, papai Luiz e papai Adriano. Olívia não gosta.

Depoimento de Olívia

Lá na Amazônia um moço pediu ao papai Luiz para colocar a mão no formigueiro, para ir esfregando, devagarzinho. Era para tirar o cheiro, para os animais não te reconhecerem. Mas papai Luiz deu um tapa na mão e ela encheu de formiga! Achou que ia picar, mas elas não picam.

Uma vez, o papai Luiz entrou na água, no meio da floresta, num lago, e eu e Dante começamos a dar comida para os peixes perto dele. Papai Luiz ficou falando: "Para, para". Ele estava com medo, eram muitos peixes grandes pulando. O líder deles tinha metade do tamanho do papai Luiz! Parecia um tubarão!

Na primeira vez no abrigo, papai Luiz colocou um filtro de monstro numa foto dele, no celular. Muito engraçado, eu e o Dante começamos a rir muito. Lembro quando o papai Luiz colocava o cabelo de pica-pau, era bem engraçado. Em uma outra vez, eu estava no barco, no rio Negro, mostrando para o papai Luiz os peixes, o rio, e uma hora fiquei com sono e dormi no colo dele. E, na vez que o Dante deu chocolate de pimenta para o papai Luiz, eu peguei um chocolate bem docinho e dei para o papai Adriano.

Papai Luiz compra quase todo tipo de sorvete para a gente. Ele também penteia meu cabelo com calma. Até hoje gosto que papai Luiz penteie meu cabelo, é muito bom. Mas em pentear cabelo papai Adriano não é bom, não!

Quando papai Luiz fica bravo, fica bem bravo. Mas quando papai Adriano briga com a gente, o papai Luiz não gosta e começa a defender a gente. Eu acho isso muito engraçado!

Uma época que o papai Luiz ficou muito triste foi quando o papai Adriano pegou covid. Papai Luiz estava muito preocupado, então resolveu fazer um show com a gente, pelo celular, para o papai Adriano ver e melhorar.

Eu sou uma série de 11 capítulos: a autobiografia 177

A coisa que mais acho engraçada no papai Luiz é que fico dormindo com ele, aí ele começa a roncar de barriga para cima, e o papai Adriano começa a roncar também. Aí eu acordo e conto para eles. Só que eles não acreditam que roncam...

Depoimento de Adriano Medeiros: Parte 2

Nosso casamento foi muito bonito. Juntamos a família toda, menos meu pai, mas foi a deixa para eu falar com meu pai pela primeira vez sobre a minha relação.

Já encontrar os meninos foi muito transformador para nós. Ficamos emocionados várias vezes. Nos preocupamos e nos apoiamos. Foi um processo lindo, mas brigamos muitas vezes, pensamos até em nos separar porque temos divergências de pensamento sobre eles, sobre educação. Acabamos nos resolvendo sem nos separar e amadurecendo ainda mais. Assim, nos entendemos e realinhamos a rota.

Uma vez, eu estava ensinando os meninos a usar talheres, e Luiz os deixou de qualquer jeito, desconstruindo o ensinamento que estava dando para Dante e Olívia havia dois anos. Eu fico puto e aí o Luiz cai na gargalhada, o Dante também. Eu falo para o Dante tomar banho, aí Dante diz que não quer. O Luiz diz: "Te entendo, filho. Passa um paninho no pé e cai na cama". Aí eu falo com Luiz: "O menino precisa tomar banho". E teve uma vez também que eu estava dizendo: "Dante, você precisa estudar, fazer as lições de casa". E aí vem o Luiz e diz: "Não leve tudo tão a sério, Dante. Eu fui um aluno mediano". E eu assim: "Você não pode dizer pro garoto que não era bom aluno". No final todo mundo ri. Acho que essa é a grande fórmula de sucesso na nossa relação. Luiz é assim, a gente tem que entender ele. A gente vai se moldando a ele, que já tem paradigmas muito fixos e não vai mudar, e eu quero ele do meu lado com seus defeitos e suas qualidades.

A influência que tive na vida do Luiz foi ajudar a estruturar tudo. Porque, dentro do possível e para a pessoa que ele é, Luiz tinha uma vida simples. Quando eu cheguei, pensamos na obra da casa do sítio, queria fazer uma casa bacana com uma boa infraestrutura. Gosto que ele viva muito bem porque ele é um cara do caralho e ele merece isso tudo! Luiz passou a viajar mais quando a gente se uniu, passou a conhecer mais as coisas e os lugares. Trago muitos amigos para ele, embora algumas pessoas digam que eu sou um marido meio chato. Mas não é isso, é que quando o cara é solteiro, o ritmo de vida é diferente, sai mais, não tem compromisso, só isso que mudou e que cobro dele. E os nossos amigos em comum são poucos, como a Claudia, a Adriana Garambone. Em geral, ele tem os amigos dele e eu, os meus. Os padrinhos das crianças são dois casais para cada criança, quatro padrinhos para todo mundo. Olívia e Dante se dão bem com todos! Quando Dante viu a Claudia se apresentando no teatro ficou muito orgulhoso! Quando a Claudia saiu de cena, virou a tia Claudia na hora! Achei linda essa cena, um monte de gente na fila, ela parou tudo para apertar a bochecha do Dante e conversar com a Olívia.

As pessoas ficam impressionadas com eles, Olívia e Dante. A galera que é da época do início da carreira do Luiz não acredita que ele, com essa idade, tem essa energia de ser um pai tão dedicado. Fernanda Torres ligou chorando, emocionada. O Dante, se você conversa com ele, já era. Não para de falar e te conquista. Às vezes se intimida no início, mas quando pega amizade te dá atenção, é carinhoso, vem e te dá um beijo, ele é muito legal. Os amigos do Luiz ficam impressionados quando veem as crianças e acham louco tudo isso. Parece que nós que transformamos as crianças, mas foram elas que nos transformaram.

Luiz virou um cara mais família. Mas, como não sou noturno, se Luiz quer encontrar com os amigos, ele vai. Eu fico com as crianças. Mas eu ligo de manhã cedo para saber se está tudo bem, só não dá para saber se ele tomou um drink ou dez… Sou muito rígido e minha tolerância é zero em relação a isso, se Luiz estiver para estrear ou algum compromisso com as crianças, não vai ser legal para ele, então eu aviso, eu explico, eu falo… Ele pode até ficar muito puto na hora, mas depois me agradece.

Um momento difícil foi quando eu tive covid durante a pandemia e fiquei internado. No Natal, eles fizeram um show em vídeo para mim e me emocionei bastante. Achava realmente que eu ia morrer. Vários áudios deles me ajudaram enquanto estava ali na UTI, muito descrente; fiquei bem mal. Cheguei a colocar aparelho para respirar. Quando acordei e fui melhorando, vi que realmente estava de volta! Com duas crianças, voltar para casa, ver Luiz me esperando com eles, foi muito bom. Nós choramos muito, abraçados. Foi muito importante tudo isso! São esses momentos em que a gente se apoia que são os mais especiais. A pandemia foi transformadora na nossa relação. Tínhamos esses vinte e tantos anos juntos, com os intervalos, mas resolvemos morar juntos de vez. E moramos juntos no sítio, nos demos muito bem. Fomos muito companheiros todo dia, com os meninos ficamos ainda mais unidos, sabendo que a vida mudaria. Eu viajei marido e voltei pai.

Já sei como funciona, tenho maturidade para entender isso. Eu acendi muito o pavio dele e Luiz ganhou muita vida com os meninos. Luiz é superjovem, fez um check-up e está zerado de saúde. Por isso está voltando agora para os palcos — ele sente muita falta do trabalho e agora está muito feliz. Dei muita força para Luiz voltar. Preciso deixar claro aqui: eu sou muito feliz com ele. Às vezes ele é chato para caralho, mas ele é meu vício.

De volta aos palcos

Finalmente voltei ao teatro. Já queria muito, a pandemia me deixou ainda mais atiçado para voltar aos palcos. Minha estreia em 2022 foi em junho, com a peça *Ponto a ponto*

— *4000 milhas*, no recém-reformado Teatro do Copacabana Palace, no Rio. Depois fiz São Paulo, Belo Horizonte, e sigo viajando pelo Brasil. A peça é a versão brasileira para o clássico norte americano *4000 Miles*, de Amy Herzog, que ganhou a primeira montagem brasileira onze anos após surgir nos palcos da Broadway. É a história de um jovem de 21 anos chamado Leo, que perde um amigo durante uma viagem de bicicleta e vai buscar acolhimento no apartamento de sua avó, a vovó Vera. Ela, aos 91 anos, se mantém uma mulher progressista e com ideias da revolução comunista de décadas atrás. O choque geracional acontece com o neto, um militante também de esquerda, mas que tem ideias mais alinhadas com os tempos modernos.

No elenco estou ao lado de Bruno Gissoni, que vive o personagem Leo, e Renata Ricci (que interpreta Rebeca e Amanda). A direção é do Gustavo Barchilon e a peça é dedicada à querida atriz Beatriz Segall. Este papel seria dela, inclusive. Já interpretei outras mulheres na carreira, mas fazer uma idosa tem sido muito interessante. Me sinto jovem fazendo a Vera, estou tentando atuar o mais próximo da realidade possível, e sempre com muito humor.

A conclusão a que chego nessa vida é que quero passar alegria, descontração. Estou bem comigo mesmo, minha vida é essa aí, estou sempre "fazendo peruca". Procuro produzir peças atemporais, devido à mudança de perspectiva de alguns assuntos. Dessa forma, evito anacronismos. Gosto de fazer peça sobre percalços do cotidiano. Uma que gostaria de fazer, por exemplo, é a história de um ator que sonha em fazer dramaturgia, mas acaba a vida inteira fazendo apenas figuração.

Sou uma pessoa realizada, sim, quando olho para trás. Tenho uma coleção de realizações profissionais. Não vou mentir.

Depoimento de Débora Bloch

O Luiz é um cara muito importante na minha vida. Considero que fui casada com ele. Tivemos um casamento no palco, artístico.

Fizemos a peça *Fica comigo esta noite*, texto do Flávio de Souza e direção do Jorge Fernando, que produzimos juntos e dividimos o palco durante cinco anos, passando por todos os cantos do Brasil, sempre com teatros lotados. Foi um imenso prazer e aprendizado dividir esse trabalho com ele. Foi logo depois que fizemos o programa *TV Pirata* juntos, outro marco nas nossas vidas.

Luiz foi um parceiro incrível, um companheiro raro. Aprendi muito com ele no palco sobre ritmo, sobre tempos de comédia e sobre a relação com a plateia. Luiz é um mestre nos três. E, além da sua genialidade como ator, ainda é um parceiro generoso, divertido, e um amigo muito especial, daqueles que não largam a sua mão.

O engraçado é que a gente passava o ano todo viajando a trabalho com a peça, fazendo reuniões para resolver coisas de produção nas horas vagas e, quando entrávamos de férias, viajávamos juntos também.

Eu o amo. Eu o admiro imensamente.

Admiro seu tempo de comédia, sua inteligência cênica, sua relação lúdica com o trabalho, sua dedicação e exigência com a cena.

Eu o considero um gênio da comédia.

E um parceiro e amigo raro e muito especial.

11.
MEU PARAÍSO

No meu sítio, que é meu paraíso, coloco tudo de bom que acho que deveria existir no mundo, na humanidade. Acho que é possível o ser humano dar certo porque meu sítio, meu pedaço de mundo, deu certo! É ali que penso que o homem tem jeito, que é uma questão de a gente trabalhar isso. Faço a minha parte, todo mundo tem que fazer a sua, no seu micromundo.

Quando quis ter esse sítio, planejei algo aconchegante, rústico, amplo e com ambientes para receber amigos. Queria que eles se sentissem em casa também. Sou completamente apaixonado por cada cantinho do sítio, mesmo depois de tantos anos, porque cada espaço tem sua história. Se parasse para contar, daria outro livro. Ele fica em Itaguaí e o chamo carinhosamente de "roça". Nós ficávamos no sítio mais nos fins de semana. Com a pandemia, passamos a morar lá. Levei meu apartamento para lá e todos os funcionários. Foi uma experiência ótima, a casa é enorme, mas, agora, já voltei para o Rio de Janeiro, no eixo Jardim Botânico-Gávea. O trabalho começou a me chamar.

No início, lá no sítio, achava que ia levar roteiros, ficar lendo, trabalhando. Levo todo o material, claro, mas nem abro. Como contei, já fiz grandes festas, em algumas delas, janelas caíram, lâmpadas queimaram. Agora estamos em outra fase. Trabalho muito, mas com as coisas de lá do sítio, mesmo. Terra, jardim, plantas. Acabo cuidando de tudo e é assim que tem sido bom. Tenho horta com frutas, verduras. Plantei orégano, alecrim — a terra é muito boa e isso nos anima. Depois a gente colhe, usa, dá para os amigos. Faço queijos, estamos fazendo manteiga também. Tudo artesanal.

Por lá, prefiro as diferenças entre as tonalidades de verde, que são atraentes. Já me falaram que falta flor. Mas sou mais do verde, da mata, não sou muito de flor. Gosto de flor, cuido. Mas o meu negócio é o mato, o verde.

Depoimento de Jayme Spinelli

É muita coisa. Conheço Luiz Fernando desde os nossos vinte anos. É uma eternidade. Às vezes a gente fica assustado porque o tempo é tão longo e a memória, às vezes, escapa. Na última vez em que estive com Luiz, a gente tomou um certo goró e ficou lembrando as coisas e tal. Tivemos umas passagens muito bacanas, somos de uma época em que acampávamos muito. Hoje em dia as pessoas não acampam tanto. Íamos com a barraca na cabeça, de forma muito precária, descíamos na rodoviária de Niterói e pegávamos o ônibus para Ponta Negra, em Saquarema. Naquela época não tinha quase gente lá, era só praia. Achávamos que estávamos no maior paraíso e de fato estávamos. Na hora de fazer comida, a gente comia arroz com areia e salsicha. Éramos superfelizes e sabíamos. A gente ia em bando, época boa do mundo, quando éramos mais soltos.

Não que hoje não seja bom, mas as coisas estão diferentes. Atualmente as pessoas são mais distantes umas das outras. Era muito legal e marcante na vida da gente essa proximidade. Íamos para Jaconé, Ponta Negra, e uma das pessoas que participavam conosco era o Eduardo Dussek, que sempre foi um amigo muito chegado, muito colado. Luiz Fernando estava começando a fazer teatro e Eduardo já era músico. Tínhamos algumas atitudes mais transgressoras, apesar de a gente viver a ditadura. Mas foi mesmo nessa época que muitas coisas maravilhosas aconteceram na arte, como o próprio Asdrúbal. Ao contrário de hoje, que você caça daqui e caça dali e, quando você se manifesta, imediatamente vem uma crítica ferrenha e cruel, mesmo que você esteja usando de humor, muitas vezes te condenam porque não entendem dessa maneira. O humor ficou muito esquisito — não sei se a palavra é esta. Mas naquela época era mais leve e vivemos esse período de agora com uma saudade muito grande. Hoje, Jaconé e Ponta Negra são balneários enormes, cheios de casas e de comércios. Não é nem ser saudosista, é ser realista.

Eu sou uma série de 11 capítulos: a autobiografia 187

E antigamente nós tínhamos uma vida noturna recheada de tudo que você possa imaginar. Foi uma adolescência e uma juventude bem criativas. Na vida de Luiz e na minha nunca teve monotonia, e a gente viveu muito por Copacabana, que era uma babilônia.

Uma vez, fomos para Miami e, ao chegar lá, resolvemos fazer uma tatuagem. Fiz uma na cintura. Depois fomos para Nova York, estava um calor enorme e um amigo nosso iria emprestar a chave de um apartamento. Encontramos o endereço informado, mas não tinha ninguém lá. Ficamos sentados em uma praça e outro amigo nosso conseguiu um hotel. Acabamos indo, sem medo de nada. Ríamos muito de tudo isso! Tínhamos um amigo lá, também, que era sócio de uma casa que, de dia, era uma igreja, e à noite era uma boate. O Ney Matogrosso, que sempre foi nosso amigo, fez um show no Banana Café, mas ninguém o conhecia. Então, comparavam ele ao Nijinski.

Além dessas viagens, eu e o Luiz sempre moramos muito próximos um do outro, amigo irmão, amigo de infância. Nossas aventuras, a gente relembra! E fazemos outras até hoje.

Sou padrinho do Dante e da Olívia, e o Dante queria ver as fotos do celular, daquela época. Aí tive que explicar para ele que não tinha foto no celular naquele tempo. Ele comentou: "Ah, então faz muito tempo, mesmo". Eles sabem tudo, são espertíssimos. Nunca imaginei que iam entrar crianças na vida do Luiz Fernando. Falei para o Luiz que, se houvesse um elixir da juventude, não ia ser igual!

Porque a gente remoçou uns duzentos anos! A criança tem esse poder. Tratar com criança é conquista, você vai conquistando devagar e daqui a pouco a criança é que conquista você. O Dante fez onze anos e já se sente um rapazinho. E Adriano é um pai revelador, eu o amo de paixão. Mexi em várias caixas de fotos com Luiz para esse livro e rememoramos muita coisa boa. É um túnel do tempo.

Bichos

Adoro bichos. Tive um cachorro da raça boxer, nos anos 1990, chamado Cão. Foi um bom ator, o coloquei para atuar algumas vezes. Eu gostava de fazer aquilo. Para o Cão, ele estava, mesmo, era brincando! Meus cachorros são meus filhos também, e são da família desde sempre. Eu morava numa casinha no Leblon e uma vez, quando saí, o Cão foi atrás de mim e se perdeu. Na volta, o bicho já não estava mais lá em casa. Fiquei desesperado, fui até o Teatro Fênix, da Globo, que ficava próximo à lagoa Rodrigo de Freitas. Queria pedir ao Faustão para anunciar ao vivo que eu tinha perdido o Cão. Só que, quando cheguei lá, me jogaram no figurino, colocaram uma roupa amarela em mim, achando que eu ia participar do programa. Não era nada disso! Depois, pedi à minha mãe que ligasse para o programa *Sem Censura*, que era muito assistido no Rio, e anunciar o sumiço do Cão. Uma luta até achar o Cão. No fim, ele estava com umas crianças que tinham colocado até um nome novo nele: Snoopy.

Recentemente, passei pela perda do Topete. Lamentei a morte dele no meu Instagram, em um post cheio de fotos do cãozinho, que partiu daqui e virou mais uma estrela. Ele já estava com a saúde debilitada e se isolou, encerrando sua passagem pela Terra. Escrevi o seguinte texto: "Como todos sabiam, Topete andava muito debilitado nos últimos dias, apesar de todo esforço e a alegria por ter deixado a clínica e voltar aqui pra casa. Subia e descia escada, latia e corria por toda a parte. Saiu da dieta e se fartou do arroz e do queijinho que tanto amava. Impossível dizer não pra ele naqueles momentos! Essa semana ele se entediou de tudo aqui e foi pro quarto que sempre gostou de se isolar nos seus momentos de introspecção, fechou os olhos e dormiu o sonho dos justos". Topete teve uma vida boa, alegre e cheia de recordações. Topete... meu primeiro salsichinha, pai de todos.

Tenho quinze cachorros no sítio. Tomilho, Champignon, Peteca, Pingo, Ice, Princesa, Lobo, Spike, Goyer, Torpedo, Black, Pandora, Tijuca, Churrasco e Pagé, que a Regina me deu. O Spike, o Dante adora...

Fora os bichos do mato: rãs, pererecas, cobras... Não sou cheio de melindres, não. Pego sapo com a mão, já tomei mordida de dobermann. Também temos cavalo e dois burros, o Dourado e o Capricho! São namorados, adoram um ao outro! Gostam de banana, e agora estão gostando muito de pão francês, comem tudo. As crianças vão lá e começam a dar para eles provarem. Quando Dante ou Olívia chegam com a banana, os bichos olham a fruta e já vêm em nossa direção, não precisamos nem chamar!

Já quis fazer solturas de animais também, falei até com uma ONG que faz soltura lá para o Ney. Só que tem que botar o animal num cativeiro, tem um tratamento. O sítio, o lago, é tudo agregado à Mata Atlântica, né? Serra da Mantiqueira. Tem bicho, mesmo, tem felino, mas o risco maior é a cobra. O caseiro, Quim, já sabe como fazer, mas não gosto que mate. Prefiro soltar em outro lugar. Já pegamos uma cobra enorme, com um sapo na boca. Estávamos eu, Adriano, a nossa cachorra Tijuca e o Quim viu a cobra e falou: "Cuidado com essa cobra!". É uma aventura.

EPÍLOGO — O FUTURO ME ABSOLVE

Dizem que tenho muita coisa da minha mãe, Yara. Eu concordo. Escrevendo este livro, percebi que, sim, tenho mais dela do que poderia supor. Aprendi, claro, muito com meu pai também.

Portanto, de algum modo, eu fui o futuro deles. De meus pais. Hoje, enquanto escrevo estas linhas finais de minha biografia, percebo que meus filhos significam o meu futuro. O que vier, daqui para a frente, é deles. É para eles.

Além de realizar um sonho, de ser pai aos 72 anos, realizei junto outro sonho: o de conhecer bem de perto a Amazônia, e foram eles que me trouxeram isso.

Com Dante e Olívia tenho uma relação similar à que meus pais tiveram comigo, mas acrescida de novos conceitos. Não tive dúvidas em "como ser pai". Afago muito eles, minha mãe fazia muito isso com a gente. E também os deixo sozinhos em alguns momentos, meu pai nos deixava sozinhos. Para a gente experimentar! Às vezes, quando percebo que eles querem ficar mais na deles, por intuição, fico mais na minha. Deixo que eles me procurem. Respeito muito isso, porque eu fui uma criança de ficar quieta num canto, de ter um tempo para mim. Ao mesmo tempo, se criança fica quieta demais... os pais percebem que tem algo acontecendo!

Meu pai, apesar de nos levar para passear, sempre tinha um distanciamento de pai. Mas isso não significava ausência. Já minha mãe estava sempre por ali, sempre meio aflita, achando que estava acontecendo alguma coisa. Tenho esses dois lados. Respeito e converso muito, tenho paciência. Às vezes, perco a paciência, claro. Não sou de ferro. Mas minha família é espetacular.

Meus filhos são ribeirinhos. Na infância, mesmo sendo um menino da cidade, eu sempre ia para o mato. Lia muito Monteiro Lobato e, quando eu e meus irmãos éramos pequenos, acordávamos a minha mãe para ir a Barão de Javari, perto de Miguel Pereira. "Vamos pra roça!". Seis horas da manhã e a criançada já estava lá, no pique.

Hoje, meus filhos estão fazendo a transição contrária. Estão na Gávea, estudando e urbanizando-se um pouco depois desse tempo todo no sítio, onde passamos a pandemia.

Um livro é uma loucura. A gente revive muita coisa. E eu termino, aqui, com uma certeza:

Eu sou o futuro da Yara.

Dante e Olívia são meu futuro.

POSFÁCIO

Nunca vou esquecer a entrada do "Derbis" (Luiz Fernando) numa sala de aula do Colégio Resende, na rua São Clemente, quase esquina da rua da Matriz, junto à subida do Morro Dona Marta, em Botafogo. Não era um curso noturno, e sim mais um ensaio do Asdrúbal Trouxe o Trombone. Como a gente não tinha grana, ensaiava nos lugares mais esdrúxulos, desde que fossem de graça!

Nossa primeira peça, *O inspetor geral*, de Gogol, estava pronta para estrear, quando um dos atores adoeceu. Nós, desesperados, saímos procurando alguém para, em poucos dias, estar conosco no palco. Imagina um grupo que ninguém conhecia, sem dinheiro para pagar nada e que "abriu testes" para atores. E não é que apareceram uns três ou quatro malucos para se candidatar? O primeiro a entrar foi um cara gigante, magrão, meio desengonçado, engraçado só de olhar. O nosso diretor, Hamilton, pediu para ele caminhar pela sala: "preencher o espaço", como se dizia (risos).

Esse cara caminhando como um pássaro, projetando a cabeça para a frente e dobrando lentamente as pernas compridas, parando numa perna só, tipo uma garça, e pronto! Corri para o Hamilton e disse:

— É ele! Nem precisa testar os outros! É ele!

E o Hamilton me perguntou:

— Mas por quê?

— Porque ele é um gênio! E eu adorei ele, quero contracenar com ele e a gente vai bater um bolão juntos! — respondi.

Essa ave rara era o "Derbis", "Ferdis", Luiz, Fernando, Luiz Fernando.

Eu estava certa. Estávamos conhecendo em primeira mão um dos maiores atores do Brasil! Além de todas as peças, filmes, programas de TV, *TV Pirata*, nós viramos irmãos e assim permanecemos desde 1974. São 48 anos! De amor, lágrimas, emoção e um milhão de gargalhadas!

Regina Casé

AGRADECIMENTOS

Aos meus pais, Yara Klaes Guimarães e Hélio Guimarães.

À minha família numerosa e às vivências que tive e tenho com ela. Ao meu futuro, que são meus filhos Dante e Olívia, e ao meu amado Adriano Medeiros.

Aos anjos que me protegem a vida toda, acredito mesmo que existam. A todas as religiões que conheci e me abriram horizontes. Às forças da natureza, dos animais, da Terra. Aos gnomos, fadas, duendes, elfos.

Aos inúmeros fãs, por compartilharem as coisas boas que propago.

Aos amigos que deram seus depoimentos. Todos são muito importantes para mim e por isso os chamei.

Aos nossos funcionários, de todos os setores. Que cuidam do conforto, da família, do sítio, das finanças, da alimentação, da limpeza. Representam tranquilidade e qualidade de vida.

Aos profissionais que me dirigiram, seja em teatro, publicidade, TV, seja no cinema. Aos amigos que fiz nessa caminhada, tanta gente que admiro e de quem virei colega. Aos que estão neste livro e mesmo aos que não estão, mas fazem parte da galera da minha vida. Cineastas, atores, produtores, redatores, câmeras, fotógrafos, maquiadores, camareiras, continuistas, figurinistas, cenógrafos, iluminadores, empresários, professores, coaches.

Aos jornalistas, repórteres, colunistas e editores que incentivam meu trabalho, me entrevistando, ao longo da carreira.

Agradeço à paciência de quem está à minha volta, já que sou a pessoa mais impaciente do mundo. Graças a essa paciência, este livro foi construído.

À Globo Livros, por apostar na minha história.

Ao Leonardo Rivera pela pesquisa, pelas entrevistas e pela dedicação com que passou seu tempo com a história da minha vida. Obrigadíssimo!

É difícil, porque é tanta gente, né?

Agradeço também a você, que está lendo!

Este livro, composto na fonte Fairfield,
foi impresso em papel pólen natural 70g/m² na BMF.
São Paulo, outubro de 2022.